Kaiser · Die Bürger von Calais

D0785881

Georg Kaiser

Die Bürger von Calais

Bühnenspiel in drei Akten

Herausgegeben
von Eckhard Faul

Reclam

RECLAMS UNIVERSAL-BIBLIOTHEK Nr. 18359
Alle Rechte vorbehalten
© 2005 Philipp Reclam jun. GmbH & Co. KG, Stuttgart
Gesamtherstellung: Reclam, Ditzingen. Printed in Germany 2015
RECLAM, UNIVERSAL-BIBLIOTHEK und
RECLAMS UNIVERSAL-BIBLIOTHEK sind eingetragene Marken
der Philipp Reclam jun. GmbH & Co. KG, Stuttgart
ISBN 978-3-15-018359-5

www.reclam.de

Die Bürger von Calais

Nicht sind die Namen der sechs Bürger von Calais auf unsere Zeit gekommen; nur vier sind verzeichnet. Ich habe für diese Dichtung der erfundenen Benennungen entraten, um nicht mit falscher Grabplatte die fruchtbaren Gräber zu verschließen.

AD AETERNAM MEMORIAM

Personen

JEAN DE VIENNE, Erster der Gewählten Bürger
DUGUESCLINS, Hauptmann des Königs von Frankreich
EUSTACHE DE SAINT-PIERRE
JEAN D'AIRE
DER DRITTE
DER VIERTE　　　　　　　　　　　} Gewählte Bürger
DER FÜNFTE
JACQUES DE WISSANT
PIERRE DE WISSANT
DER VATER EUSTACHE DE SAINT-PIERRES
DIE MUTTER DES DRITTEN BÜRGERS
DIE FRAU DES VIERTEN BÜRGERS
DIE ALTE WÄRTERIN MIT DEM JUNGEN KIND DES VIERTEN
　　BÜRGERS
DIE ZWEI TÖCHTER JEAN D'AIRES
DER VERTRAUTE DES FÜNFTEN BÜRGERS
EIN ENGLISCHER OFFIZIER
EIN FRANZÖSISCHER OFFIZIER
ENGLISCHE SOLDATEN
ZWEI FRANZÖSISCHE SOLDATEN
ZWEI BUCKLIGE DIENER
EIN KNABE

Gewählte Bürger – Bürgervolk

Erster Akt

*Die offene Stadthalle. Ein roter Backsteinbau – mit breiten
Stufen, die Sitzreihen sind, nach einer Plattform ansteigend,
wo kurze quadratische Säulenstümpfe das unsichtbare Dach
tragen. Ein Vorbau, den eine Tür verschließt, teilt in der Mitte*
5   *unten die Reihen.*
*In den Stufen stehen die Gewählten Bürger – hagere Gestalten
im Bausch überweiter Gewänder – abgekehrt und nach der
Plattform aufschauend.*
Nur Eustache de Saint-Pierre, siebzigjährig, sitzt – vorn rechts –
10   *und blickt zu Boden.*
*Am Vorbau zwei Wachen, ihre Lanzen vor der Tür kreuzend.
Eine helle Glocke läutet nah und rasch – das Brausen vieler
Glocken in der Ferne.*
An den äußeren Rand der Plattform gedrängt und in die Tiefe
15 *winkend und schreiend Bürgervolk. Der Lärm schwillt noch,
neue Ankömmlinge stoßen eine Gasse: Jean de Vienne – Fünf-
ziger – taucht auf. Eine zweite Woge von Menschen und Geschrei läuft herauf: Duguesclins – schwarz geharnischt – erscheint. Hinter ihm sein Fahnenträger.*
20 *Jean de Vienne hat sich umgedreht und erwartet Duguesclins:
umtost tauschen sie brüderlichen Kuß.*
*Ein Offizier mit einem Trupp Soldaten ist oben gefolgt –
hinter den vorgelegten Lanzen ist langsam die Menge verdrängt.*
25 *Die Plattform liegt leer. Der Lärm verringert sich – schweigt.
Indessen beginnen Jean de Vienne und Duguesclins die
Stufen hinabzusteigen. Die nun entstehende heftigste Bewegung wiederholt die Vorgänge auf der Plattform: die Gewählten Bürger empfangen die beiden mit hingestreckten*
30 *Händen. Dann umarmen und küssen sie sich untereinander. Zwei Jünglinge – Jacques de Wissant und Pierre de
Wissant – eilen über höhere Stufen und grüßen mit über-
schwenglicher Hingabe Jean d'Aire – einen hohen Sieb-
ziger.*
35 *Die helle Glocke hört auf, auch die fernen Glocken. Jean de
Vienne steht ganz unten rechts, ihm gegenüber hat sich Du-*

guesclins – das geschorene Haupt entblößt – niedergelassen.
Die Gewählten Bürger suchen ihre Plätze auf.
Der Fahnenträger – die große Fahne vor sich – auf dem Vor-
bau.

JEAN DE VIENNE.   5

Die helle Glocke ist der Ruf in die Halle. Das Zeichen
wurde nicht mehr gegeben – in wem glühte noch mit
dünnster Flamme die Hoffnung, es noch zu hören? Verbrannte sie nicht so schwach – wo glimmt der Funken,
der noch ein Feuer entfacht – – von dem die Fesseln auf   10
unseren Armen schmelzen – auf Zungen, die wieder
schwingen – von allen Glocken über der Stadt, die frei
stürmen – und die Befreiung auf Calais stürzen! – Ihr
sucht durch die Zeit – vor euch entsteht die letzte Versammlung. Wir kamen von dem Werk, an das wir unsere 15
Kräfte hingegeben hatten – wie an kein Werk noch.
Geht in die Straßen und späht in die Häuser: – wo sind
Arme, die nicht jetzt noch zittern – Hände, die sich
nicht krampfen wie um das Werkzeug, das sie führten –
gekrümmte Rücken wie unter Bürden, die sie schleppten 20
– zu den Dämmen, die davon ins Meer wuchsen – die
Woge nach Woge verdrängten – und ihre Wucht brachen
und ihre Unruhe dämpften – bis sich die neue Bucht
rundete – weit und glatt wie vor keiner Küste: wir
öffneten ein Tor in das Meer – nun sollten Schiffe auf   25
glückliche Meerfahrt hinausgleiten! – Ich frage euch –
und spürt selbst in euch mit dieser Frage nach: – war
dies das Ziel – oder ein anderes? – Ist einer hier, in dem
am geheimsten eine andere Begierde lebte? – So will ich
den Schlüssel der Stadt auf meine flachen Hände legen 30
und – barhäuptig und unbeschuht – und schreitend im
Kittel des überlieferten Büßers! – ihn vor das Tor tragen! – – – Der Hafen von Calais bedroht England.
Dunkler noch der Verdacht – schwerer die Beschwerde:
die Pforte ist es, daraus der König von Frankreich leicht 35

und schnell nach England dringt! Mit diesem Willen ist
der Hafen gebaut! – – Wer durchdringt nicht den Vor-
wand? – Der alte trübe Streit, den der König von England mit dem König von Frankreich führt – wer
herrscht in England – wer über Frankreich! – soll von
ihm auflodern! – – So peitscht kein Sturm, so schattet
keine Wolke – wie es unter Segeln von England fuhr.
Mit letztem Glück konnte der König von Frankreich
seinen Hauptmann in die Stadt werfen. Calais ist nicht
gefallen – Calais ist durch die Wüste der Belagerung geschritten! – – Wann trug sich dies schon zu? Wo wurde
der Kampf gefochten, in dem kein Schwert schlägt –
kein Bogen birst – keine Lanze zersplittert! – Draußen
im Sande kauert dumpf ein träges Tier – die Sonne läuft
ihm über den schillernden Leib – schoß ein anderes Ge-
schoß von ihm auf als diese Blitze? Warum rührt es sich
nicht – warum richtet es sich nicht hoch und läuft den
Sturm, der über die Mauern flutet – mit dem es Calais
erobert? Warum hebt es seine Tatze nicht, unter der es
seine Beute zermalmt? – – – Der König von Frankreich
zieht heran. Wie will sich der König von England seiner
erwehren? Wie begegnet er ihm, der so vom Rücken
droht – wenn er seine Macht nicht schont – für diesen
anderen Feind? – Klug ist der Witz des Königs von
England – nun zerschellt er vor seinem Schlusse! – Es ist
ein wütender Wind ausgebrochen, der von allen Enden
die Scharen zusammengetrieben hat. Gewaltig, wie es
nie den Boden Frankreichs erschütterte, ist das Heer.
Unaufhaltsam schwillt der Zug. Die Erde dröhnt davon
– der Himmel ist von dem Staub, der von ihm aufwir-
belt, verfinstert. Mit Singen und Jubel vollführt es seinen
Marsch in Tag und Nacht. An seiner Spitze reitet lachend der König von Frankreich – lacht wie im Spiel
– das Spiel des Löwen, der den Hamster jagen geht! – –
Mit jedem Morgen kann die hohe Säule aufstehen, da-
vor die Sonne sich verdunkelt – darunter der Boden

schwankt. An jedem Morgen spähe ich nach der Wolke,
die laut schallend den König von Frankreich verkün-
det! –: – an diesem Morgen schickt der König von England in die Stadt – nicht mehr an den, der mit dem
Schwert die Stadt verteidigt! – – Die helle Glocke ruft –   5
die Glocken rauschen über der Stadt: – heute ist das
Amt, das wir von uns auf die gepanzerten Schultern des
Hauptmanns von Frankreich schieben mußten, wieder
auf uns gelegt! – *(Überwältigt ausbrechend.)* Das Schwert
soll nicht mehr über Calais herrschen – Calais ist von   10
ihm befreit! – *(Mit stärkstem Nachdruck.)* – Der Gesandte
will hier in der offenen Halle der Stadt zu den Gewählten Bürgern von Calais sprechen!
*(Noch einmal flutet kurz die freudige Bewegung durch die
Reihen – dann gibt auf die anweisende Gebärde Jean de*   15
*Viennes der linke Wächter seine Lanze an den rechten ab,
öffnet die Tür des Vorbaus und geht in diesen. – Nun geleitet er den englischen Offizier heraus, dem eine Haube von
schwarzem Tuch das Haupt einhüllt. Der Soldat entfernt sie
– schließt die Tür und steht wie vorher.)*   20
DER ENGLISCHE OFFIZIER *(verharrt in unsicherer Haltung. Er
dreht den noch halbblinden Blick im Kreise, dann haftet er
auf Duguesclins fest. – Nun strafft sich seine Gestalt gegen
die Versammlung).*
Der König von England ist über das Meer gekommen.   25
Das alte – in seinem Blut verbürgte Recht ist verletzt.
Mit dreister Hand hat ein Fremder nach der Krone
Frankreichs gegriffen. Der Frevler mußte seine Züchti-
gung erleiden – wie man Diebe abstraft mit Peitschen-
hieben! – *(Eine hastige Bewegung läuft durch die Reihen.*   30
Duguesclins zieht klirrend sein Schwert zu sich.) Der freche
Dieb versteckte sich – feige wie Diebe sind! – und be-
schwatzte mit flinkem Munde – den die Angst beredt
machte! – und täuschte das verblendete Volk von Frankreich, bis es sich vor ihn hinstellte und ihn und sein Un-   35
recht schützte. – So mußte der König von England statt

der Rute das Schwert anfassen. Wo Gericht geübt wird
– da fällt es nicht gegen den Richter. Der Spruch war
gültig – der Schlag ist geschlagen: – vor zwei Tagen sind
die Scharen, die der Dieb wider den König von England
5 trieb, in blutiger Niederlage zertrümmert und in alle
Winde gescheucht!

*(Die Gewählten Bürger – mit Ausnahme von Eustache de
Saint-Pierre – sind aufgesprungen: in ungläubigem Erstaunen werfen sie die Arme hoch. Nun lenkt sich die Aufmerk-*
10 *samkeit auf Duguesclins, der von seiner Erregung überwältigt sich auf den englischen Offizier stürzen will. Doch ist er
von den ihm zunächst stehenden aufgehalten.)*

DUGUESCLINS.
Das sind – –! – – Ein Raubfisch ist von England durch
15 das Meer geschwommen – der wühlt an Frankreichs
Küste mit hitzigen Schlägen die Flut auf. Jede Welle, die
davon mit trüber Brandung auf das Land rollt – Lüge!
– Lüge, die schäumt: mit falschem Anspruch herrscht
der König von Frankreich. Wo stiehlt ein Dieb in sei-
20 nem eigenen Hause? Der Räuber ist, wer draußen
schleicht. Woher kommt der, der hier schmäht und mit
schelten droht? Das ist die diebische Elster aus England,
der es nach der funkelnden Krone von Frankreich gelü-
stet! – Lüge, die schäumt: mit listigem Betrug ist das
25 Volk von Frankreich aufgestachelt. Keine Stimme, die
nach ihm rief – keine Fahne, die warb: – und dennoch
spannte sich der schwächste Arm nach seiner Waffe! –
So verheißt keine Lockung – so erhebt sich nur der
Zorn. Eine wilde Woge hat ein reißendes Tier auf
30 Frankreichs Boden gespült – nun soll es in das Meer zu-
rückgestoßen werden. Da verblutet es an den Wunden,
die ihm mit der furchtbaren Gewalt geschlagen sind! –
Und hätte der König von Frankreich seine Krone abge-
tan und sie dem König von England um des Friedens
35 willen verkauft – das Volk von Frankreich würde mit
Strömen seines Blutes ihren Preis bezahlen und sie auf

den Knien ihm wieder schenken! – Lüge, die schäumt:
Lüge, die alles zur Lüge macht, das letzte: – kein Tag, an
dem die Sonne nicht von dem schimmernden Ring, der
um Calais geschlossen ist, blitzte. So lag er in Monaten
dicht und eng – so stach das Licht nicht gestern stumpf   5
in eine Lücke: heute zuerst löste eine Rüstung sich los –
dieser trägt sie! – Kein Mann stand von seiner Ruhe auf
– und vorgestern hat der König von England das über-
mächtige Heer Frankreichs vernichtet? – Sind wir erschöpft auf das Ende, daß in unseren Augen der Staub   10
nicht beizt – sind wir taub, daß wir den Lärm von einer
Schlacht nicht hören? – Der König von England schilt
uns blind – so erhält er das Maß für unsere Verblen-
dung: – in jeder Stunde noch sahen wir im Sande vor
Calais Helm an Helm – Lanze an Lanze unverrückt an!   15
DER ENGLISCHE OFFIZIER.
    – – Im Sande vor Calais liegen Helme – Lanzen, wie
Lanzen – Helme still liegen – – – wenn ein Kind sie
nicht wegräumt. – Die Sonne spiegelt darauf – das blendet!   20
(Die Gewählten Bürger lassen sich nieder – wie von einer
Schwäche bezwungen, die ihre Glieder lähmt.)
DUGUESCLINS (ausbrechend).
Begreift ihr jetzt den Witz des Königs von England? –
Sprüht er nicht von seinen Taten – die er nicht leistet? So   25
seht den König von England an – seines Landes Haupt
und sein witzigster Kopf! – Liefert er euch nicht Beweis
nach Beweis? Der herrliche König von England hat
mich abgesetzt – der witzige König von England hat
euch zusammengeschellt. Was wissen die Bürger von   30
Calais von Waffen! Wie zehn Schwerter stärker sind
über einem. Das ist die Rechnung, die ihr nicht rechnet.
So zielt sein Witz. Mit zehnfacher Macht schlägt der König von Frankreich – wie rettet sich der König von England vor dem Verderben? – Wo schlüpft er aus der   35
Schlinge, in die er vor Calais geriet? Wo ist der Ausweg

– wo öffnet sich das Tor, aus dem er noch schnell und leicht hinausfährt? – Jetzt nützt ihm einzig der glatte runde Hafen von Calais! – Sprach er es noch nicht aus, klopfen uns nicht davon unsere Ohren: – geht aus der Stadt und gebt den Schlüssel hin – denn jede Hoffnung ist ausgelöscht – Calais sieht niemals seinen Befreier! – Glaubt an den Witz des Königs von England – und klatscht in die Hände – so hört er die Antwort. Ein Kind kann sie lallen – wenn es an einem Abend mit leeren Helmen spielt, die es im Sande fand – die kurze Geschichte des Tages, der nahe heran ist. Schenkt der König von England nicht selbst die beste Zuversicht? Nun schickt ihm seinen frohen Boten wieder. Vergebens ist seine Mühe, die euren Mut wanken machen soll. Dies gilt – morgen und immer: wie das Schwert von mir über Calais gehalten wird – so trägt es heute noch fest und frei der König von Frankreich vor Frankreichs stolzem Heer!

DER ENGLISCHE OFFIZIER (*gegen Jean de Vienne gewendet*).

Der König von England weiß es, daß die Bürger von Calais nicht mit Waffen vertraut sind. Sie kennen das Handwerk mit ihnen nicht – wie man sie braucht zu harten Schlägen. Darum unterrichtet sie rascher ein Mund, an dessen Worten sie nicht zweifeln. Die Zeit eilt!

(*Unter seinem herrischen Befehl gehorcht der linke Türwächter – wie vorher. In der Halle wird es tiefstill.*

Der Wächter geleitet einen englischen Soldaten – ebenfalls mit einer schwarzen Haube bedeckt – heraus: dieser führt hart neben sich eine dritte Gestalt, die noch von Hals bis zu den Füßen mit einem Mantel bekleidet ist, unter dem es mit heftigen Stößen zuckt.)

DER ENGLISCHE OFFIZIER (*zum Wächter*).

Diesen zuerst!

(*Der Wächter streift die Haube von dem Soldaten ab. Der englische Soldat befreit sogleich die Gestalt, den fran-*

zösischen Offizier, vom Mantel: seine mit Staub und Blut
bedeckte Rüstung zeigt sich – die Hände sind auf den Rük-
ken gebunden. Der englische Soldat löst noch die Fesseln.
Mit raschen Griffen entfernt der französische Offizier die
Haube von seinem Kopf, der eine Binde trägt – und reißt 5
sich den Knebel aus dem Munde. – Seine Stimme versagt
ihm noch wie im Ersticken.)

DUGUESCLINS *(zu ihm stürzend).*

Godefroy!

(Viele der Gewählten Bürger stehen, die anderen sitzen weit 10
vorgebeugt – alle blicken in höchster Anspannung nach den
beiden.)

DER FRANZÖSISCHE OFFIZIER *(Duguesclins vor sich festhal-*
tend).

Rette – – rette – – die Ehre Frankreichs! – – Sie ist noch 15
nicht verloren. – Du atmest! – Du hebst sie auf – – von
dem Schmutze – in den sie unsere Füße gestampft haben!–

DUGUESCLINS.

Wo ist der König von Frankreich? 20

DER FRANZÖSISCHE OFFIZIER.

Suche ihn bei den Toten. *(Fast schreiend.)* Halte ihn zwischen den Fliehenden auf. – Du fängst ihn nicht mehr –
der König von Frankreich reitet schnell!

DUGUESCLINS. 25

Wo blieb das Heer?

DER FRANZÖSISCHE OFFIZIER.

Tu Spreu auf deine Hand und blase darauf. Ist deine
Hand danach nicht leer?

DUGUESCLINS. 30

Wann ist das geschehen?

DER FRANZÖSISCHE OFFIZIER.

Einmal – weit von Calais. Was sorgten wir uns um den
Feind. Den finden wir vor Calais. Wir singen Lieder –
wir schwatzen im Sattel – so ziehen wir in den blauen 35
Tag hinein. Da geschah das. Da fegte ein Sturm in uns

hinein. In den Seiten faßte er uns an – im Rücken schüttelte er uns – er brach durch unsere Reihen – er drückte uns auf den Boden – er sprang auf uns hin und her – er zerschlug unsere Helme und Panzer –! Wir sanken in Blut und Blut – – wir standen ächzend auf – und klammerten uns an, wo einer lief – und taumelten die Flucht mit ihm, bis der uns abschüttelte mit einem Hieb und das Schwert bei uns ließ – um leichter zu laufen! – – Das war ein Sturm, der raste – und Frankreichs Ruhm mit einem Hauch verwehte – wie ein Licht, das zu hell strahlte! – Der König von England war das nicht – Duguesclins – den hieltest du vor Calais fest! – – Das Licht ist nicht verloschen – es flackert: – du stehst noch da! – Nichts ist verloren – rette – rette die Ehre Frankreichs! – *(In Erschöpfung hebt er die Hände nach dem Hals.)* – Durst – Durst – – trinken!

DER ENGLISCHE OFFIZIER.
Du bist frei in der Stadt – du wirst in den Straßen deutlich sprechen, wo du dich zeigst!

DER FRANZÖSISCHE OFFIZIER *(gelangt stolpernd über die Stufen nach der Plattform – und verschwindet)*.

DUGUESCLINS *(erreicht schwankend seinen Sitz. Er beugt die Stirn tief auf den Schwertknauf und verharrt reglos).*

(Die Gewählten Bürger, die mit Blicken dem französischen Offizier gefolgt sind, drehen sich langsam dem englischen Offizier zu.)

DER ENGLISCHE OFFIZIER *(nach einem Warten).*
An diesem Morgen ist der König von England vor Calais zurückgekehrt. Kein Feind ist mehr, der vom Rücken droht – keine Mauer stark, die seinen Sturm aufhält. Calais ist in seine Hand gegeben. Er tut mit ihm nach seinem Willen. Morgen ist der letzte Stein von ihm verstreut – über seinen Raum breiten sich Trümmer – öde wie die Küste des Meeres! – – – Mit gerechter Strafe züchtigt der König von England den Trotz, der vor ihm die Stadt verschloß und das Schwert anfaßte! – Das Schwert ist zer-

schlagen – nun ruft der König von England die Gewählten Bürger in die offene Halle der Stadt! – – Der König
von England will Gnade üben. Um des Hafens willen,
der von Calais in das Meer geöffnet ist – sollt ihr die Zerstörung mit der niedrigsten Buße abwenden: – – – – mit   5
dem Grauen des neuen Tages sollen sechs der Gewählten
Bürger aus dem Tor aufbrechen – barhäuptig und unbeschuht – mit dem Kittel des armen Sünders bekleidet
und den Strick im Nacken! – So will der König von England den Schlüssel annehmen! – Doch versäumen sich   10
die sechs Büßer morgen um die kleinste Frist – so läßt
der König von England in derselben Stunde den Sturm
laufen und die Stadt in den Hafen stürzen! – –
*(Die ersten sind Jacques de Wissant – links – und Pierre de
Wissant – rechts, aufrecht und mit vorgestreckten Armen*   15
hinweisend entzünden sie den Ruf: – Duguesclins! – An ih-
rer Seite erheben sich die nächsten – die Bewegung schwillt
eilend durch die Reihen. Wie ein loses Gewand vom gereck-
ten Körper ist lahme Schwäche von den Gewählten Bürgern
gesunken. Mit einer Gebärde, in einem Schrei tost die Auf-   20
forderung: – Duguesclins!
Duguesclins drückt den Helm auf das niedrige schwarze
Haar – steht auf. Das freie Schwert hebt er in beiden Hän-
den hoch auf die Brust.
Jean de Vienne gibt dem Wächter das Zeichen: dieser tritt   25
mit der Haube wieder zum englischen Offizier.
Nun schwillt der gesteigerte Lärm nach ihm: – Jean de
Vienne! – Die Stufen auf entsteht eine Gasse – Arme ver-
weisen den englischen Offizier auf die Plattform.)
EUSTACHE DE SAINT-PIERRE *(geht von seinem Sitze zu Jean*   30
de Vienne und greift seinen erhobenen Arm an).
Jean de Vienne – willst du mit uns vor diesem Gesand-
ten nach der Antwort suchen?
(Die Unruhe unter der Halle ebbt schnell hin.)
JEAN DE VIENNE *(nach kurzem Besinnen – mit stürmischer*   35
Geste gegen den englischen Offizier).

Wir müssen suchen!
*(Die beiden Wächter führen den englischen Offizier und
den englischen Soldaten in den Vorbau und schließen die
Tür hinter ihnen.)*

JEAN DE VIENNE *(immer Eustache de Saint-Pierres Hand fest-
haltend).*

Wir müssen suchen – mit allen Sinnen! – – Wem schießt
es nicht auf die Zunge – und brennt es wie Feuer – und
erstickt in ihm die Luft? – Wem treibt es nicht das Blut
auf – und stößt es hinter seiner Stirne – und schlägt mit
Lasten? – Wer will noch sprechen – wer stammelt noch
– wen verwirrt nicht diese Scham? – – Wer sind wir –
mit unseren Schultern – mit unseren Armen – mit unseren Händen? – Was taten wir mit Schultern – was hoben
wir mit Armen – was griffen wir mit Händen? – Sind
wir Täter an einem Werk, das dunkel liegt? – – Was ist
das Werk? – Wuchtig rollt das Meer an die Küste. Kein
Schiff, das ohne Not ankommt – mit Angst ausfährt.
Kein Schiff, das nicht eines Tages zerschellt. Kein Kommen – kein Ausfahren, das nicht von dieser Gefahr bedroht ist. Sucht über den Strand – wo häufen sich heute
Trümmer? – Das Meer rollt – es trifft nicht mehr. Die
Brandung richtet sich hoch – sie fällt hin. Schiffe kommen – Schiffe fahren aus – was stört Ankunft und Ab-
fahrt? – – Das ist das Werk von unseren Schultern – auf
die wir mit unseren Händen den Strick legen sollen! –
Das ist unsere Tat – hinter der wir schreiten sollen – –
als Missetäter! – – Wir müssen hier suchen. – – Wer ist
unter uns, der sie findet – Worte, die verweisen – Worte,
die brennen – Worte, die züchtigen! – *(Mit rascher Drehung.)* – Duguesclins, tritt vor uns hin!

DUGUESCLINS.

– – Das Spiel ging um die Stadt Calais. Das Spiel ist von
einem anderen gewonnen. Calais ist verloren – Calais ist
sein Gewinn. Er wägt ihn in der Hand – er gefällt ihm
– er will ihn halten. Er spottet mit seinem Glück, das er

auf der Hand vor sich hält. Die Hand und das Glück –
er schüttelt beide. Denn beide sind heil – und an ihm
fest. Das ist heute ein Tag seines lauten Gelächters! –
(Mit wachsender Stärke.) Mit dem andern Morgen sind
Hand und Glück ihm vor die Füße gestürzt. Die Hand   5
schlägt ihm dies Schwert ab – den Gewinn frißt ihm das
Feuer! – – Hier gelingt es ihm nicht, uns schreckt sein
Sturm nicht aus träger Ruhe – er verwirrt nicht, wir sind
vorbereitet. Kein Arm, der ohne Waffen blieb. Wir stehen auf den Mauern – bei den Toren – in den Straßen.   10
Dann soll er durch sein Blut eindringen. Dann wirft der
letzte Arm, den einer regt, den Funken aus. Die Flam-
men rütteln in den Häusern – die Wände schwanken
und bersten – und mit stäubendem Fall sinkt die Stadt
in seinen Hafen. Calais ist untergegangen – über seinem   15
Raum treibt das Meer, das seine Beute vor jedem bewahrt!

(Jean d'Aire zuerst – danach andere, meist Greise, sind auf-
gestanden: ihre Arme sind wie nach Waffen langend ge-
spannt. Jüngere scharen sich um sie, um diese kargen geball-   20
ten Fäuste beteuernd zu fassen.)

JEAN DE VIENNE.

Duguesclins – du siehst es: unsere Arme sind nach dir
ausgestreckt – nach einer Waffe. Wir stehen neben dir
bei den Toren – in den Straßen. Der Schwächste unter   25
uns zündet den Brand an. Unsere Hände auf deine
Hand – Duguesclins – unter deiner Hand das Schwert –
so halten wir es mit dir!

(Die Gewählten stehen in den Reihen, wie im Gelöbnis sind
alle Hände gespreizt.)   30

JEAN DE VIENNE *(will die Hand Eustache de Saint-Pierres mit*
seiner auf das Schwert auflegen. Da Eustache de Saint-
Pierre widerstrebt, dreht er sich zu ihm. Dann gegen die
Reihen winkend).

Dies ist unser Beschluß. Der Weg ist gezeigt, den wir   35
schreiten. Duguesclins hat ihn vor uns eröffnet! – Noch

fehlen die Worte, die vor uns laufen und uns verkünden.
Nun will sie Eustache de Saint-Pierre für uns finden!

EUSTACHE DE SAINT-PIERRE *(ohne Kraft – mit gesenktem*
Kopf und hängenden Armen).

5 Wir müssen es tun! – *(Vor seiner Haltung verstummt jede*
Unruhe unter der Halle. – Seine Gestalt straffend.) Wir
kommen von unserem Werke – an das wir unsere Kräfte
hingegeben haben – wie an kein Werk. Die neue Bucht
rundet sich – nun sollen Schiffe auf glückliche Fahrt hin-
10 ausgleiten! – – Jean de Vienne, riefst du uns hier nicht
auf – stelltest du nicht unserer geheimsten Begierde mit
dieser Frage nach: was ist das Ziel! – Ist es nicht dies?
Bückten wir nicht um dies vom ersten Anfang an die
Schultern – beluden sich unsere Arme nicht um dies? –
15 Jean de Vienne, du stacheltest uns mit dieser Aufforde-
rung: – trübte es sich einem von uns – so legt er dir den
Schlüssel auf die flache Hand und schickt dich aus dem
Tor! – Jean de Vienne – jetzt nimmst du den Schlüssel
selbst – jetzt gehst du – barhäuptig und unbeschuht! –
20 vor die Stadt! – Dein Entschluß springt nicht allein aus
dir allein: – *(Gegen die Reihen.)* – eure Hände sind es, die
ihn reichen – euer Verlangen ist es, das zur Erfüllung
drängt! – *(Zu Jean de Vienne.)* So tritt aus deinen Schuhen, streife dein buntes Gewand von dir – du willst bü-
25 ßen um unseren Betrug, der sich heute enthüllt –: mit
anderer Begierde schufen wir das Werk. Ihr schiebt es in
den Streit – und in des Streites Mitte. Das Werk gilt
nicht – der Streit ist mehr! – So seid Ihr schuldig daran
– so sühnt es nach eurer Verheißung. Hier schallte sie –
30 so haftet sie in unseren Ohren!
(Ein betroffenes Schweigen herrscht.)

DER VIERTE BÜRGER *(fünfundvierzigjährig – steht halb auf).*
Eustache de Saint-Pierre – sollen wir dem Willen des
Königs von England gehorchen?

35 EUSTACHE DE SAINT-PIERRE *(ohne seiner zu achten, an alle).*
Heute sollen wir das Werk vollenden. Heute beschlie-

ßen wir es mit dem letzten Eifer – der jeden Eifer lohnt.
Das eine ist getan. Seht sie an uns – die Mühe, die unsere
Glieder dorrte. Keine Stunde, die uns ausruhte – die
Flut ruhte nicht! – Keine Last, die uns überwog – der
Stein wälzte sich nicht. Unser Atem ächzte – unser ge-   5
bogener Leib verdrängte das Meer – Woge nach Woge
wich es – dem Meere haben wir es abgerungen. Es ist geschaffen! – – Es ist nicht genug. Nun offenbart sich das
andere. Nun legt sich euer Werk auf euch – nun begehrt
es nach euch mit dem stärksten Anspruch. Sein Gelingen   10
befiehlt euch mit dem härtesten Fron. Nun versammelt
eure Kräfte – nun bäumt den Nacken – nun faßt den ei-
gensten Gedanken. Euer größtes Werk wird eure tiefste
Pflicht. Ihr müßt es schützen – mit allen Sinnen – mit allen Taten. Wer seid ihr – am Rande eurer Taten? Mit eu-   15
ren Seufzern verklungen – mit eurer Erschlaffung ver-
worfen – vor eurem Werk armselige Büßer!

DER DRITTE BÜRGER *(mit drängender Frage)*.

Eustache de Saint-Pierre, sollen sich sechs von uns im
Sande vor Calais schänden lassen?   20

EUSTACHE DE SAINT-PIERRE.

Seht hin: – schufen wir unser Werk mit Lachen und Singen? Stiegen wir nicht durch Dienst Schritt um Schritt
zu ihm auf? Wo schenkt sich Herrschaft hin – ohne
Dienst? Dienst – der nötigt – der quält – der sich an uns   25
vollstreckt? – Ihr habt bis gestern gedient – könnt ihr
heute entlaufen, wo euch die Herrschaft verliehen ist?

JEAN D'AIRE *(mühsam)*.

Eustache de Saint-Pierre, sollen wir in dem Sand von
Calais die Ehre Frankreichs auf diesem Gange zertre-   30
ten?

EUSTACHE DE SAINT-PIERRE *(schweigt)*.

*(Nun wühlt ein Aufruhr in den Reihen auf: Jean d'Aire
steht dicht umringt.)*

DUGUESCLINS *(an Eustache de Saint-Pierre mit raschen Schrit-*   35
ten vorübergehend und unter Jean d'Aire hintretend).

Aus dem armen Sande vor Calais schießt ein Baum auf.
Der blüht an einem Tage. Mit Blut speist sich seine Wurzel. Sein Schatten breitet sich über Frankreich aus. Darunter saust es wie von Bienen: – der Ruhm Calais', der
Frankreichs Ehre rettet! – *(Er dreht sich nach Eustache de
Saint-Pierre um.)* Der König von England will die Stadt
schonen – um des Hafens willen. Ist der Hafen dieses
Handels wert – der mit der Ehre Frankreichs bezahlt
wird?

EUSTACHE DE SAINT-PIERRE *(langsam)*.
Wir sahen die Küste, die steil ragt – wir sahen das Meer,
das wild stürmt – wir suchten den Ruhm Frankreichs
nicht. Wir suchten das Werk unserer Hände! – *(Der ent-
stehenden Bewegung entgegnend.)* Einer kommt, den
spornt die Wut. Die Wut entzündet die Gier. Mit wütender Gier greift er an – und rafft auf, was er auf seinem Wege findet. Er häuft es zu einem Hügel von Scher-
ben – höher und höher – und auf seinem äußersten
Gipfel stellt er sich dar: – lodernd in seinem Fieber – starr in
seinem Krampf – übrig in der Zerstörung! – – Wer ist
das? – Empfangt ihr von ihm das Maß eures Wertes –
die Frist eurer Dauer? – den heute die Gier anfaßt, die
morgen mit ihm verwest? – –
*(Hier und da steht einer in den Reihen rasch auf und wen-
det sich mit starker gegen Eustache de Saint-Pierre abweh-
render Geste zu dem nächsten.)*

EUSTACHE DE SAINT-PIERRE *(von einem zum anderen dieser)*.
Ihr wollt euer Werk zerstören – um diesen, der aus der
Stunde kommt und mit der Stunde versinkt? – Ist der
Tag mehr als alle Zeit? Wie belehrt euch euer Werk, an
das ihr die Tage und Tage reihtet – bis der Tag gering
wurde wie der Tropfen im Meer? Stürzte euch die Hast
in den Taumel – oder kettete es euch mit kühlen Gliedern an euer Werk? – Wollt ihr es heute verleugnen?
Wollt ihr heute mit einem Schieben der Schulter verwer-

fen, was euch schon beriet und besaß? – – Ein Fremder
zögert vor der Stadt – um dieses Hafens willen: – ihr zögert nicht?

*(Immer neue erheben sich – mit den gleichen ungestümen
Gebärden.)*   5

EUSTACHE DE SAINT-PIERRE *(unabweisbar).*

Brennt euch jetzt nicht die andere Scham: – dies Werk
geleistet zu haben? – Ekeln euch nicht eure Hände, die
daran schufen? Graut euch nicht vor eurem Leib, der
sich dazu bückte? – – Ihr vertriebt das Meer – und bau-   10
tet wie auf hartem Boden. Ihr stelltet euer Werk hin
– nun lockt und leuchtet es. Nun gießen sich davon heiße
Ströme von Kräften in alle Arme aus! – Schon bezeichnen sie das neue Land, das sie aus der Wüste furchen –
schon messen sie die Gebirge, die sie ebnen – schon gra-   15
ben sie die Kanäle, in denen sie den Schwall des Wassers
bändigen. Kein Widerstand türmt sich länger auf – euer
Werk hat das Meer überwunden!

(Keiner in den Reihen ist auf seinem Platze geblieben.)

EUSTACHE DE SAINT-PIERRE *(mit letztem Nachdruck).*   20

Heute wird euer Werk euer Frevel! – Logt ihr nicht
schlimmer als mit Worten – mit diesem Werk? Schürtet
ihr nicht mit dieser Verheißung jeden Eifer – der nun
wach ist und von Ungeduld nach seinem Werke schon
verzehrt wird? – Ihr wagtet, was noch keiner angriff –   25
nun schwillt die wuchernde Woge hinaus! – Wollt ihr
nun gelassen beiseite stehen – soll der feile Spott von euren Lippen lästern? – – Ihr wagtet euer Werk – um alle
Werke müde zu machen – um mit ihm alle Mühe zu
prellen: – immer wartet die Wut – unsere Gier schäumt 30
auf – mit kurzen Stößen zerbricht sie unser Werk aus
Leben und Leben! – – Scheut ihr nicht euren Betrug?
Wollt ihr diesen Makel auf euch tragen, der euch mit einem scharfen Mal zeichnet – das ihr nicht tilgt?

(Über die Stufen ist ein Fluten: – Jacques de Wissant und 35
Pierre de Wissant dringen unten zugleich auf Jean de Vienne

*und Duguesclins ein und winken anderen zu, um mit ihnen
die beiden wegzuführen.)*

DER DRITTE BÜRGER *(ausbrechend).*

Eustache de Saint-Pierre – mit diesen Händen suchten
wir unser Werk. – *(An alle.)* Sind wir das Werkzeug? Sind
wir die Täter? – Eustache de Saint-Pierre – soll uns nicht
von unserem Werk der stärkste Stolz fließen?

EUSTACHE DE SAINT-PIERRE *(schweigt).*

DER VIERTE BÜRGER.

Die Küste ragt steil – das Meer stürmt wild – wir verdrängten von ihr das Meer! – – Die Woge hob uns auf
ihren Kamm – Eustache de Saint-Pierre – soll uns der
feige Schwindel schütteln?

EUSTACHE DE SAINT-PIERRE *(bleibt stumm).*

JEAN D'AIRE *(eine Stufe heruntersteigend).*

Wir suchten den Ruhm nicht – nun rollt der Ruhm an unsere Füße! – Eustache de Saint-Pierre – sollen wir ihn nicht
aufheben – und über uns streifen – als unser buntes Kleid?

EUSTACHE DE SAINT-PIERRE *(blickt zu Boden).*

DUGUESCLINS.

So wurde der Hafen von Calais tief ausgeworfen: – Ehre
und Ruhm ertrinken in ihm – und euer Mut!

EUSTACHE DE SAINT-PIERRE *(dreht sich schnell nach Duguesclins, tut einige Schritte gegen ihn. Allmählich sammelt sich
aus seiner Erregung die Sprache).*

Brennt dein Mut auf an diesem Streit, in den du morgen
läufst? – Was fordert dieser Streit morgen noch von dir?
– Morgen faßt du das Schwert an – du schlägst viele um
dich – viele überwältigen dich! – Ist dieser Streit vor seinem Anfang nicht schon entschieden? – Dämmert noch
ein Zweifel – quillt eine Wahl? Was bleibt dir zu tun?
– – Du stürzt den Sturz deines Helmes vor dein Gesicht
und bist blind und taub hinter dem Schild. So stehst du
hier geblendet und betäubt! – Ein Dunkel umgibt dich,
mit dem du deine Tat bedeckest. Nun siehst du sie nicht
an – nun schrumpft sie ein – nun ist sie klein – nun er-

schreckt sie nicht mehr, um sie zu wagen! – – *(Jacques de Wissant und Pierre de Wissant stellen sich vor Duguesclins hin.)* – Wo ist Mut, wenn sich der Wille von der Tat scheidet? – – Ich sehe ihn nicht! – Wo ist Mut, wenn seine Tat nicht bis an ihr Ende rollt? – Was gilt diese Tat noch, wenn sie dich dumpf zwingt? – Wenn du heute alle Straßen um dich verschüttest – lobt dich morgen dein Weg? – Es kostet dich keinen Mut: – du mußt ihn schreiten – dieser ist noch übrig! Den stürmst du keuchend hinaus – wie ein Flüchtling keucht von seiner Flucht! – Auf ihm fliehst du in deine Tat. Sie wartet noch auf dich – sie rettet dich aus der Öde um dich – sie hebt dich aus der Leere. Sie schlägt dich nieder –: du bist geborgen! – – Deine Tat wird feige – wie du sie heute begehrst! – Der Mut fällt von ihr ab und verdorrt schon am Boden. Er raschelt um unsere Füße – unsere nackten Sohlen mahlen auf ihm – der Hauch unserer Hemden verweht seinen Staub in das Meer! – Wo flammt morgen noch dein Mut? Ein dichter Rauch erstickte ihn! – Von dem dumpfen Brande schwelt er – aus deinem Blut, das hinter deinem geschlossenen Panzer west! – Mit deinem Blute bist du heute tot vor deiner Tat – sollen wir nicht in unseren dünnen Gewändern bis an den anderen hellen Morgen leben?

(Auf die Plattform kehrt das Bürgervolk zurück. Langsam und lautlos geschieht sein Vordringen: in schwerer Furcht hängen die Arme schlaff – sind die Schultern gedrückt. Jetzt erreicht die Menge den inneren Rand. Dort verändert sie ihre Haltung: die Köpfe sind vorgestreckt – die Augen schweifen durch den Raum: ein unbeugsames Verlangen erhält seinen Ausdruck – ledig jeder Scheu und bar der Scham. – Die Gewählten Bürger blicken hoch: sie stehen steif und still – belauert von diesen Augen – eingekreist von der Masse, die die ganze Breite und Tiefe der Plattform füllt.)

DUGUESCLINS.

Ich will den Mut, der mir das Schwert zwischen meine

Hände schiebt, verlachen. Er ist klein und soll sich verstecken vor einem hier, der seine graue Schande über sich streift und am hellen Morgen aus der Stadt trägt. Das ist sein stärkerer Mut! –

5 *(Er geht nach seinem Platze.)*

JEAN D'AIRE *(mit einem Arm nach der Plattform weisend – mit dem anderen nach Eustache de Saint-Pierre).*

Eustache de Saint-Pierre, dir ist es leid um den Hafen. Soll dich nicht am meisten die Sorge peinigen? Bist du
10 nicht reich vor uns allen? Sind deine Speicher nicht die weitesten – sind sie nicht angefüllt mit ihren Gütern bis dicht unter das Dach? – Mußt du nicht zittern – willst du nicht betteln für deinen Reichtum?

EIN BÜRGER *(auf seinem Platze).*

15 Jean de Vienne, du sollst hier vor uns treten. Du sollst mit deiner Frage suchen. Sie soll unter der Halle schallen. Sie soll nach einem von uns rufen. Einmal soll sie dröhnen – einmal soll sie lästern!

(Er winkt mit hohen Armen den Gewählten Bürgern unten.
20 *Diese erwidern ihm; mit eiliger Hast erreichen sie ihre Sitze und lassen sich nieder.*

Auf die Reihen und die Plattform legt sich hauchlose Stille.)

JEAN DE VIENNE *(ohne von seinem Platze wegzugehen – mit schwerer Stimme).*

25 Der König von England hat Gewalt über Calais. Er tut mit Calais nach seinem Willen. Nun fordert er dies: sechs Gewählte Bürger sollen den Schlüssel vor die Stadt tragen – sechs Gewählte Bürger sollen aus dem Tor schreiten – barhäuptig und unbeschuht – im Kleide
30 der armen Sünder – den Strick in ihrem Nacken. – *(Er hebt den Kopf.)* Sechs sollen am frühen Morgen von der Stadt aufbrechen – sechs sollen sich im Sande vor Calais überliefern – sechsmal schnürt sich die Schlinge –: das wird die Buße, die Calais und seinen Hafen heil bewahrt! – *(Nach einem Warten.)* Sechsmal soll hier die
35 Frage aufgerufen – sechsmal muß die Antwort gegeben

werden! – *(Mit äußerster Anstrengung.)* – Wo sitzen sechs
– die aufstehen – und von ihren Sitzen gehen – und hier
zueinander treten? – –
*(Die Last der Frage bedrückt anfangs noch; dann sind die
Geräusche der bewegten Körper und gedrehten Köpfe
schwach; nun schwillt Lärm in Lauten des Spottes an.)*
EUSTACHE DE SAINT-PIERRE *(steht auf und geht von seinem
Sitze weg bis zur Mitte. Seine Hände rücken an seinem Ge-
wande auf den Schultern, wie um es abzulegen).*
   – – Ich bin bereit!
*(In den Reihen wird es still.
Jean de Vienne starrt staunend nach Eustache de Saint-
Pierre. Auf der Plattform läuft das Gemurmel: Eustache de
Saint-Pierre!)*
EIN FÜNFTER BÜRGER *(rechts, fast hinter dem Platze Eustache
de Saint-Pierres – dem Dritten und Vierten gleichaltrig – er-
hebt sich; er schreitet den Kopf tief senkend und die Hände
auf die Brust spreizend – und stellt sich wortlos neben Eu-
stache de Saint-Pierre.*
Die Gewählten Bürger blicken in atemlosem Staunen hin.
Auf der Plattform ist dies Murmeln: – Der Zweite!
Nun schweifen die Blicke der Gewählten Bürger in den Rei-
hen: sie prüfen den nächsten neben sich und über sich).*
DER DRITTE BÜRGER *(links hochgerissen und mit den Fingern
um seinen Hals greifend, schreiend).*
Ich – bin bereit!
*(Gejagt und keuchend erreicht er die beiden in der Mitte.
Oben zählt das Gemurmel: – Der Dritte!
Hastiger sind die Köpfe in den Reihen gedreht.)*
DER VIERTE BÜRGER *(links – steht auf, wie einem Zwange ge-
horchend geht er – unbeschleunigt und den Kopf hochtra-
gend – hin).*
Ich bin bereit!
*(Auf der Plattform wird es lauter: – Der Vierte!
Viele der Gewählten Bürger richten sich kurz halbhoch, um
den Überblick über die Reihen zu gewinnen.
Oben wächst Murren.)*

JEAN D'AIRE *(rechts – aufrecht: er schwankt unter der Wucht des Entschlusses – so steigt er taumelnd hinunter und muß sich an Eustache de Saint-Pierre stützen, indem er die Stirn auf seinen Rücken drückt).*

5 Eustache de Saint-Pierre, ich will dich bitten – in die Spuren deiner Sohlen zu treten!
(Oben zählt und kopfnickt es befriedigt: – Der Fünfte! Jean de Vienne, der sich Jean d'Aire abwehrend entgegenstellte, wirft nun beschwörend die Arme gegen die Reihen.

10 *Dort haben Jacques de Wissant links – Pierre de Wissant rechts, die schon Jean d'Aire mit Gesten der Angst und des Entsetzens verfolgten – sich aufgerichtet. Stöhnend und die Hände verkrampft zögern sie noch – durch den Vorbau einander verdeckt.*

15 *Von der Plattform ist ein verwundertes Hinzeigen nach den beiden und neugieriges Spähen von einer nach der anderen Seite. Nun steigen die beiden zu gleicher Zeit von den Stufen – Unten am Vorbau angekommen sehen sie sich. Sie stutzen – dann suchen sie einander zu überholen und fassen*

20 *zu einer Zeit die Hände Eustache de Saint-Pierres und sprechen mit einem Klang.)*
Ich bin bereit!
(Alle Gewählten Bürger stehen in den Reihen.)
EUSTACHE DE SAINT-PIERRE *(den Kopf zu Jean de Vienne*

25 *drehend).*
Jean de Vienne, willst du jetzt dem Gesandten unsere Antwort sagen?
JEAN DE VIENNE *(rafft sich auf. Er winkt den Wächtern. Diese stoßen die Tür auf.*

30 *Der englische Offizier tritt heraus; hinter ihm der Soldat).*
JEAN DE VIENNE *(ihm die Gruppe in der Mitte zeigend).*
Morgen tragen sechs Gewählte Bürger den Schlüssel vor die Stadt. Morgen überliefern sich sechs – im Gewande des Sünders und den Strick im Nacken. Sechs Büßer for-

35 dert der König von England – sechs sind gehorsam. Calais und sein Hafen sind sechsfach bezahlt!

DER ENGLISCHE OFFIZIER *(die Gruppe flüchtig streifend).*
Der König von England wartet auf die sechs im Grauen
des Morgens. Doch versäumen sich die sechs um die
kleinste Frist – so läßt er in der gleichen Stunde den
Sturm laufen und die Stadt in den Hafen stürzen!
*(Er wendet sich nach dem Soldaten um. Als er – klirrend in
der Stille – aufbrechen will, hält ihn Duguesclins mit einer
Gebärde auf.)*

DUGUESCLIN *(tritt unter den Vorbau. Er greift nach dem
Fahnentuch und zieht es zu sich nieder. Er küßt es lange und
inbrünstig. Sein Blick ruht noch einmal auf der Gruppe in
der Mitte – dann gürtet er sein Schwert los.)*
Das Schwert ist mit seiner Schärfe stumpf geworden –
sein Glanz ist trübe – die Faust ist faul, die es führt. Die
Hände strecken sich neuen Taten hin – *(Fast schreiend.)*
Ich kann – ich will es nicht begreifen! – *(Ruhig.)* – Der
König von England hat Länder über dem Meer. Der König von England soll mich schicken, wo mein Schwert
noch dient! *(Er streckt es dem englischen Offizier hin.)*

DER ENGLISCHE OFFIZIER *(nimmt es – achselzuckend – und gibt
es dem Soldaten. Dann winkt er kurz Duguesclins, ihm zu
folgen.)*
Die drei – vor denen die Gewählten Bürger in den Reihen
und das Bürgervolk auf der Plattform zurückweichen – ab.
Nun wächst von der Plattform ausgehend, alle Aufmerksamkeit versammelnd – immer deutlicher dies Rufen an, das
nach der Gruppe unten zielt: – Sieben!
Schließlich ist ein einziger scharfer Schrei unter der Halle:
– Sieben!!).

JEAN DE VIENNE *(will an Eustache de Saint-Pierre heran-
treten).*

EUSTACHE DE SAINT-PIERRE *(nach schnellem Blick über die
bei ihm Stehenden – mit raschem Entschluß sich zu Jean de
Vienne wendend, fast freudig).*
So kann an diesem Nachmittag das Los dem Siebenten
von uns das Leben schenken!

(Tiefe Stille verbreitet sich.
Der Fahnenträger steht wie vorher: nur das niederstürzende
Fahnentuch überhängt die Tür des Vorbaus – das Fahnen-
holz ragt trümmerhaft schräg auf.)

Zweiter Akt

Der Saal im Stadthause: ein langes Viereck mit geringer Tiefe.
In der Rechtswand eine niedrige Tür. Den ganzen Hinter-
grund schließt – von einer Stufe, die wie eine erhöhte Schwelle
ist, aufsteigend – ein mächtiger Bildteppich ab. In seinen drei
Feldern zeigt er mit der Kraft der Formen und Farben einer
frühen Kunst den Bau des Hafens von Calais, links ragt die
steile Küste, an die das Meer wild stürmt – rechts stellt sich die
rege Tätigkeit während des Baues dar – die breitere Mitte
zeigt den vollendeten Hafen: auf geraden Kaien lange Spei-
cher und fern die Einfahrt in die weite und glatte Bucht.
Eustache de Saint-Pierre – in reichem Gewande – und Jean de
Vienne stehen in der Mitte.

JEAN DE VIENNE.
Es ist gut, daß die Entscheidung nun fällt. Die Unruhe
ist mit jeder Stunde dieses Tages gestiegen – jetzt hat sie
ihren Gipfel erreicht, von dem sie stürzen muß und –
wer weiß das! – ein Unheil anstiftet, dessen furchtbare
Folgen wir nicht absehen. Diese Gefahr besteht. Wir
können sie beschwichtigen, wenn sich draußen hinter
der Brüstung dieses Saales der Siebente zeigt, den das
Los freigibt. An seinem Anblick richtet sich erst der
Glauben auf, daß die Rettung wirklich ist. – *(Nach einem*
Schweigen.) Es ist merkwürdig, daß dies Bürgervolk, das
die Belagerung mit stumpfer Geduld und fast gleichmü-
tig ertragen hat, in dieser letzten kurzen Frist sie ohne
den Rest eines Widerstandes ganz verliert. Ich suche die
Erklärung: – was erregt sie heißer – was wühlt sie tiefer auf – bis zu diesem wüsten Ausbruch! – als die schwe-
ren Entbehrungen der verstrichenen Zeit sie einmal er-
schrecken konnten? – Ich finde den Aufschluß, mit dem
ich nicht irre: – es ist die Ungewißheit, an der ihre frü-
here unerschütterliche Ruhe zerbricht. Die Erwartung
des Endes der Vorgänge in diesem Saal peinigt sie mit
dem schärfsten Stachel. Sie macht diese Qual – es ist
Qual! – unerträglich. Und ich wage dies zu behaupten:

– wie auch der Ausgang sich gestaltet – gestaltet er sich
nur endlich! – ändert ihr in letzter Stunde euren Entschluß – ihr gebt ihn auf und besiegelt so das allgemeine
Verderben! – sie werden euch mit einem befreiten Auf-
atmen danken. Ihr habt sie aus der schlimmeren Not er-   5
löst! – *(Er schweigt wieder.)* – Ich will selbst mich diesem
Gefühl, das so bedrückt, nicht entziehen. Obwohl mein
Wunsch sechs von euch überliefert – die Last weicht erst,
wenn ich den siebenten heraustreten sehe. – *(Rasch.)*
Und muß es euch nicht hundertfach erschüttern? – Seid   10
ihr nicht jetzt frei – und mit den nächsten Gedanken
verloren – zugleich frei und verloren – solange die Wahl
schwankt? Wird nicht die Bürde, die ihr auf euch ludet,
schwerer und schwerer? Müßt ihr euren Entschluß nicht
immer wieder fassen – an dem die Kraft schon mit dem   15
erstenmal zu versinken droht? Ihr hebt die Tat, die ihr
zu tun gedenkt, über das Maß hinaus, wie ihr zögert bis
an diesen Nachmittag. Spart mit der Stärke – schließt
nun den Siebenten aus! – Morgen wird ein übriges von
euch verlangt! – *(Nach einer Pause.)* – Wir haben den Bo-   20
gen zu straff gespannt – wir müssen den Pfeil von der
Sehne nehmen, bevor er schnellt und – vielleicht – grau-
enhaft trifft. Wir hätten am Morgen in der Halle ihnen
die sechs bezeichnen sollen – dann fiele es jetzt nicht wie
ein Schatten auf eure Tat – wie sie den einen ungestüm   25
fordern und euch mißachten. Das läßt mich hier in
Scham vor dir stehen! – *(Im Aufbruch.)* – Ich bitte dich
– es ist mehr, daß du unsere häßliche Erniedrigung ver-
hütest! – ich scheue mich darum nicht, dies von dir zu
verlangen: – beeile – und schicke ohne Säumen den Sie-   30
benten zu uns heraus! –
*(Er nimmt die Hand Eustache de Saint-Pierres – will noch et-
was sagen – wendet sich ab und geht nach rechts. Als er die
Tür öffnet, schlägt dunkler brausender Lärm herein. Er sieht
sich nach Eustache de Saint-Pierre um, der seinem sorgenvol-*   35
len Blick lächelnd entgegnet – dann rasch durch die Tür ab.)

EUSTACHE DE SAINT-PIERRE *(überschreitet die Schwelle und geht durch eine Öffnung des Bildteppichs).*

(Von rechts kommt der Fünfte Bürger – wie Eustache de Saint-Pierre und später die übrigen – sehr reich gekleidet. Hinter ihm der alte Vertraute.)

DER FÜNFTE BÜRGER *(in der Nähe der Tür zögernd).*

– Ich kann dich auch jetzt nicht in Entschließungen, die ich am geheimsten hege, einweihen. Es könnte sein, daß ich es bin, der von hier frei herausgeht. Dann kehrte ich – wenn ich zu dir vorher gesprochen – leer und überflüssig an meine Geschäfte zurück. Ich hätte gleichsam mit meinen Plänen – meinen Hoffnungen mein Wesen mit dir vertauscht – und du besetztest meine Stelle so gut wie ich selbst. Damit fiele zugleich das beste Glück von meinen Entwürfen ab. Denn es ist so mit diesen: sie vertragen die Mitteilung nicht. Daran würden sie dürr und kahl – und versickern kraftlos und gelangen nicht zu ihrer Wirkung. Nur solange wir sie in uns verbergen – wie der Schoß der Erde den Keim lange verschließen muß – nährt sie unser Glauben – schwellt unsere Kühnheit – stößt sie unser Willen – oft mit Irrtum! – doch stets in die Vollendung. Du verstümmelst deine hohe Lust, wenn du ihre Wurzel – auch vor dem nächsten Vertrauten – ausgräbst! – Der bist du. – *(Er seufzt.)* Ich weiß nicht, wie diese Stunde über mich entscheiden wird. Wüßte ich es – so wäre alles mit einem Male leicht und klar. Das macht es dunkel und schwer. – *(Er gibt dem Vertrauten die Hand.)*

DER VERTRAUTE *(nimmt sie schnell und küßt sie).*

DER FÜNFTE BÜRGER.

Nun ist die Nacht kurz, um noch alles zu sagen. Warum hatten wir nicht den langen Tag?

DER VERTRAUTE *(bückt sich tiefer über die Hand).*

DER FÜNFTE BÜRGER *(lächelnd).*

Weil einer das lange Leben gewinnen kann!

DER VERTRAUTE *(schwach)*.
  Du bist es!
DER FÜNFTE BÜRGER.
  Siehst du zwischen meinen Fingern das Los?
DER VERTRAUTE.
  Deine Pläne – deine Entwürfe können nicht untergehen.
  Sie schieben es in deine Hand!
DER FÜNFTE BÜRGER.
  Der Siebente ist unter uns –
DER VERTRAUTE.
  Du wirst als Siebenter gezählt!
DER FÜNFTE BÜRGER.
  Jeder ist es doch – und keiner! *(Er geht von ihm – durch
  den Teppich ab.)*
DER VERTRAUTE *(entfernt sich ohne aufzublicken)*.
DER DRITTE BÜRGER *(kommt – geleitend die Mutter an ihren
  vorgestreckten Armen – bis zur Mitte. Nach einem Warten
  – gedämpft)*.
  Mutter!
DIE MUTTER *(röchelnd)*.
  Sohn –!
DER DRITTE BÜRGER *(besorgt)*.
  Willst du hier warten?
DIE MUTTER.
  Ich – kann nicht warten! – – Ich habe gewartet – ich
  habe mich nicht geschont. Ich bin nicht schwach gewor-
  den – ich bin nicht feige gewesen – ich habe nicht gera-
  stet – ich bin nicht um Gliedesschmale abgewichen –:
  ich bin den Weg hierher gestrauchelt – hundertmal vom
  Morgen an! – Ich habe meine Füße in die Dornen ge-
  setzt – hin und her! – Ich habe das Schwert aus meinem
  Herzen gezogen und wieder hineingestoßen – hundertmal – nun ist alles Blut ausgeflossen – nun zittern
  meine Knie – nun schwanken meine Kräfte von mir –
  ich wollte sie halten!
DER DRITTE BÜRGER *(blickt stumm auf sie)*.

DIE MUTTER *(sich mehr aufrichtend)*.

Was ist Schmerz vor diesem: – Worte zu stammeln – die
dumm sind! – graue Motten, die flattern!

DER DRITTE BÜRGER.

5   Mutter – ich höre dich!

DIE MUTTER *(heftig)*.

Wie sollen sie mir kommen? Wie sollen, die unter meinem Herzen drängen, sich lösen? – – *(Ruhiger.)* Du
machst mich arm in dieser Stunde – du stiehlst mir

10 meine Liebe – du schlägst auf meinen Mund und auf
meine Brust wie mit dicken Tüchern! – Du gehst mit mir
– du stehst neben mir da – ich taste und streife dein Haar
und dein Kleid – – ich bin gleich außer aller Sorge – *(Fast
verwundert ihn anschauend.)* – Das Kind ist ganz unver-

15 sehrt! – Was geschieht denn? – Dein Haar ist es und dein
reichstes Gewand! – – Warum trägst du es nur heute?
Welcher Tag fiel von den Glocken? Ich bin nicht gerüstet
wie du – sie sind in den Straßen alle nicht geschmückt
wie du – sie feiern kein Fest – – *(Verwandelt starr.)* Ist

20 deine Hand kalt – oder heiß? Ist sie noch heiß oder – –
(Mit wachsendem Ausbruch.) Sie ist steif und schauerlich
kühl – sie hebt sich nicht – sie lockert nicht im Nacken –
sie zerrt die Schlinge nicht auf – sie schleudert den Strick
nicht weg – nun weiß ich ja! – Nun bin ich nicht mehr

25 lahm – nun kann ich mich über dich werfen – und dich
umschlingen – eng wie nie! – Nun bin ich nicht mehr
stumm – nun bricht der Schrei aus mir, der das letzte
weckt: – du bist mein Sohn – ich bin deine Mutter!

DER DRITTE BÜRGER *(sucht sie sanft von sich zu lösen)*.

30 DIE MUTTER *(sich dicht an ihn schmiegend)*.

Nun sinkt das Dunkel – das nimmt mich auf – und be-
schwichtigt meine Mühe. Kein Stoß rüttelt mich – Angst
hetzt mich nicht – um was noch Angst? – Ich sitze geborgen in meinem Leid – das Leid schattet über mir –

35 Leid ist die Zuflucht – Leid ist Frieden, der alle Zweifel
milde tötet!

DER DRITTE BÜRGER.

Du mußt dich an dieser Hoffnung aufrichten, Mutter –
die noch ist!

DIE MUTTER *(sieht ihn an, dann hell).*

Ich habe dich mit Ächzen geboren – ich habe dich mit
Lachen gesäugt – ich habe dich mit jubelnden Tränen er-
litten – je und je! – Du bist aus mir geschritten und in
mich heimgekehrt zu jeder Zeit! – Gestern – eben noch
– du kommst heute wieder – dich trifft das erste und das
sechste nicht – du legst mir dein Los in den Schoß – *(Ihre Hände wie um einen Gegenstand schließend.)* – das
ich lachend drehe wie meinen bunten Spielball! – – *(Sie wendet sich ab.)* Jetzt kann ich warten – jetzt bin ich stark
– jetzt gehe ich hoch und starr meinen Weg. Was küm-
mert mich das hier?

*(Tief gebückt und schleppenden Ganges gelangt sie zur Tür
– ab.)*

DER DRITTE BÜRGER *(strafft die Schultern und schreitet über
die Schwelle durch den Teppich).*

*(Der Vierte Bürger – die Frau des Vierten Bürgers und die alte
Wärterin mit dem jungen Kinde auf dem Arm kommen.
Der Vierte Bürger und die Frau gehen bis in die Mitte.)*

DER VIERTE BÜRGER *(schon einen Fuß auf die Schwelle stel-
lend, heiter).*

Es ist nicht mehr als ein Gang aus dem Tor an einem
schönen Sommertage. Über dem Sande flimmert die er-
hitzte Luft, doch vom Meer bläst eine linde Kühle. Ist
nicht beides in dieser Stunde? – Dieser Druck ist Abschied – und dieser Druck wird Begrüßung. Das liegt so
dicht beieinander, daß wir es nicht trennen. Die Waage
taumelt – bis sie anhält. Heischt es nicht die kleinste
Klugheit von uns, froh zu bleiben?

DIE FRAU *(blickt ihn lächelnd an).*

DER VIERTE BÜRGER.

Wir wollen nicht klug sein und um die winzige Spanne
feilschen. Wer würfelt die Pfennige, wenn die Schulden

sich über ihm türmen? Selbst von dieser Schwelle drehen
sich unsere Blicke zurück. Damit tilgen wir ein wenig an
ihnen. War die Zeit zwischen uns nicht wuchernd von
Reichtum? Unsere Jahre gereiht ohne Lücke zu Ringen
einer blanken Kette? Du nicht Glanz am Morgen – noch
abendliches Glück? – Nun schleppen wir die schim-
mernde Last um Schultern und Leib, daß wir fast nicht
schreiten können. Wir stehen blinkend gefesselt – wie
Schuldige!

DIE FRAU *(hebt die Hand gegen ihn)*.

DER VIERTE BÜRGER *(verwundert)*.

Nicht sprechen – nicht danken?

DIE FRAU *(schüttelt verneinend den Kopf)*.

DER VIERTE BÜRGER *(begreifend)*.

Nun bist du die Klügere. Du bist Frau, die besser sorgt.
Du hütest die Kammer im Hause und verteilst heute mit
vorsichtigem Maß. Morgen sind wir vielleicht wieder
hungrig!

DIE FRAU *(nickt)*.

DER VIERTE BÜRGER.

Morgen vielleicht – ich weiß nicht! – Heute vergeuden
wir – heute messen wir nicht – heute schlagen die blü-
henden Wogen um uns zusammen – was sättigt uns,
wenn wir morgen auftauchen? – *(Stärker.)* Wenn wir
jetzt das Bild aufrollen – und in einem Blick, der ganz
umfaßt, das volle Leben in einer Flamme versammelt
aufbrennt? Muß der Tag davon morgen nicht blind sein?
Ein Tag, der dunkel kriecht, unter dem Leuchtfeuer, das
wir jetzt mit jäher Hand anzünden? Dieser Tag – und
Tage, die einzeln kommen – und ihren Aufwand noch
schürfen müssen aus jedem kleinen und kleinsten? – Es
ist leichtsinnig zu danken, wer nicht am Ende aller Ga-
ben rastet. Das nächste Geschenk machen wir dürftig –
und die wir es empfangen, verwandeln sich ärmer mit
jedem Glück!

DIE FRAU *(blickt fest zu ihm auf)*.

DER VIERTE BÜRGER.

Drückt es auf dich nicht schwerer – stumm zu stehen?
Wer kennt den Wandel der kommenden Stunde? Wie
wir darin verändert sind? Dann kann es spät sein – uns
macht die Entscheidung dumpf und stumm. Dann haben wir uns versäumt – uns – uns! Über dein einsames
Leben fällt nicht dieser Schein heißesten Geständnisses
– ich habe dich verlassen, wie man in der Dämmerung
von Haus und Liebe schleicht! – Ich mache dich bet-
telarm – ich häufe nicht die Schätze bei deiner Tür –
du wirst nicht essen – du frierst – du bist in den Straßen ein lungerndes Ding! – Ich kann dir nichts geben
– dies nicht und jenes nicht mehr – siehst du es jetzt:
– ich bin doch ein leerer Schatten zwischen jetzt und
nun!

DIE FRAU *(legt ihre Hand auf sein Gewand und weist auf die
Wärterin).*

DER VIERTE BÜRGER *(lächelt und führt sie mit sich hin).*

DIE FRAU.

Dein Kind – mein Kind!

DER VIERTE BÜRGER *(überwältigt und mit einer schützenden
Gebärde das Kind an sich reißend – mit erstickter Stimme).*

Um dich – um dich –!

DIE FRAU *(sinkt an ihm nieder).*

DER VIERTE BÜRGER *(mit einer freien Hand nach ihrer Schulter greifend, um sie aufzurichten).*

Ich komme – ich komme. – *(Er gibt das Kind der Wärterin
zurück; die Frau dicht an sich schließend.)* Ich – komme!
*(Mit raschen Schritten erreicht er die Öffnung im Teppich
und verschwindet ohne Blick und Gruß.)*

DIE FRAU *(auf die Wärterin gestützt – ab).*

*(Von rechts: Jean d'Aire – an einer Seite eng die zwei Töch-
ter, die sich umschlungen halten, unter seinem Arm führend
– zur anderen gehen Jacques de Wissant und Pierre de Wissant nebeneinander her.)*

JACQUES DE WISSANT *(den Arm Jean d'Aires angreifend).*
  Du sollst nicht hineingehen. Du mußt umkehren. Halte
  hier an und schicke uns hin! *(Zu Pierre de Wissant.)* Un-
  terstütze mich doch – und beschwöre ihn mit deinen
  Bitten. Soll es nicht genug sein, wenn zwei aus einem
  Kreise scheiden?

JEAN D'AIRE.
  Wollt ihr mich zum Mörder der anderen da drinnen machen?

PIERRE DE WISSANT *(kopfschüttelnd).*
  Das ist es nicht!

JEAN D'AIRE.
  Gaukelt nicht über jedem Haupte da drinnen noch eine
  Möglichkeit, an die wir geklammert sind – wenn sich
  auch unser bester Willen sträubt! – Das Leben ist stark
  – ich sehe auf ein langes Leben zurück und finde es in
  allem überwiegend. Diese Erfahrung könnt ihr nicht
  teilen!

JACQUES DE WISSANT *(Pierre de Wissant ansehend – wie dieser
  vorher).*
  Das ist es nicht!

JEAN D'AIRE.
  Ihr eilt mit euren Wünschen hinaus – und wo das Be-
  deutende winkt, lauft ihr hinzu. Das ist eurer Jugend
  Tollheit. Euer Ziel ist ohne Weg. Aber der Weg ist oft
  wichtiger als die Ankunft – und schwieriger zugleich. –
  (Die Aufmerksamkeit auf seine Töchter lenkend.) Am
  Wege bleibt vielerlei – ihr hastet vorüber. Dürft ihr von
  jeder Möglichkeit schon ablassen? – Ihr begehrt nach
  dieser Tat, die euch hoch stellt und in eure Namen ein
  Brausen füllt, das nicht mehr verweht!

JACQUES DE WISSANT, PIERRE DE WISSANT *(verneinen heftiger).*

JEAN D'AIRE.
  Euch ruft es an – *(In bezug auf die Töchter.)* – diese erstickt der Schwall. Da sind Tat und Opfer in ein unent-
  wirrbares Knäuel verstrickt! – *(Stärker.)* Was schickt ihr

mich hinaus – mit welchem Vorteil bin ich entlassen?
Was gebe ich hin – womit bringe ich mich noch dar?
Was bleibt mir noch schwer zu verschenken? Was geizt
der noch, der seine Töchter in die Arme von Männern –
in eure Arme legt? – Es ist so gering, daß ich einen von
euch – spielt sich das eine Los mir zu – es hinzunehmen
bitte! *(Die Töchter drängen sich an ihn.)*

JACQUES DE WISSANT, PIERRE DE WISSANT *(blicken zu Boden).*

JEAN D'AIRE.

Ihr versteht mich nicht. Ich schweife an euch vorbei. Es
ist schade um diese letzte Gelegenheit. Danach ist jeder
mit sich selbst beschäftigt – und ihr verliert einander –
ohne Halten und Hemmen. Ich warne euch hier!

PIERRE DE WISSANT *(sich aufraffend).*

Du sollst umkehren – du kannst hinausgehen – du bist
älter als jeder. Darum kann es niemand außer dir noch.
Und wäre einer hier – nicht du – nicht dieser – nicht der
– der mit irgendeinem Rechte aufbräche – wir würden
ihn bis an die Tür geleiten und den Saum seines Kleides
küssen!

JEAN D'AIRE *(sieht ihn erstaunt an).*

JACQUES DE WISSANT *(ausbrechend).*

Dieser Tag wäre zu Ende – der steinigt mit nein und ja!

PIERRE DE WISSANT *(schwer).*

Der uns die Frist verkümmert – für Worte!

JACQUES DE WISSANT *(ungestüm wie früher).*

Sie glühen uns auf der Zunge – sie verbrennen unsere
Lippen – wir sollen nicht aufschreien!

PIERRE DE WISSANT.

Wir müssen warten – und die Zeit verstreicht!

JACQUES DE WISSANT *(ganz wirr).*

Um nicht lächerlich vor uns hinauszugehen – mit dem
siebenten Los!

JEAN D'AIRE *(verstand, lächelnd).*

Sucht ihr Worte? Seid ihr nicht Liebende? Suchen Worte

einen Wunsch – erfüllen ihn Worte? – Scheltet nicht auf
das ja und nein dieses Tages – das hat euch bewahrt.
Worte – das lerntet ihr noch nicht – schmälern vom
Wert. Und haltet ihr nicht eure Liebe am höchsten? –
Treibt ihr Schacher mit dem Tag? Gilt der Tag euch einen Deut? Für Braut und Bräutigam? – Die Hoffnung
unter sieben der Siebente zu sein ist ungewiß – so freut
euch an dieser Zuversicht: – in der letzten Nacht euer erstes Fest zu feiern!

*(Er schiebt die Töchter gegen die zwei, wendet sich um und
geht durch den Teppich.*

Die vier stehen einander stumm gegenüber.)

JACQUES DE WISSANT *(die erste Tochter umschlingend, stammelnd).*

Ich will nicht – der Siebente sein!

DIE ERSTE TOCHTER.

Jetzt warte ich auf dich!

PIERRE DE WISSANT *(hat die zweite Tochter an sich geris-
sen).*

Ich lüge mich um das siebente Los für diese Nacht!

DIE ZWEITE TOCHTER *(hingegeben).*

Ich will in dieser Nacht leben!

*(Dann gehen die Schwestern langsam von ihnen – den Kopf
nach ihnen gewendet und schwach winkend kommen sie bei
der Tür an. Ab.*

*Jacques de Wissant und Pierre de Wissant stehen auf der
Schwelle: wie sie sich umdrehen, wird der Bildteppich nach
den Seiten geöffnet. Der nun sichtbare Saal hat bedeutende
Tiefe. Hohe Wandflächen und Deckenbezirk belädt die
Schmückung aus Erzen und Gestein der Länder des Erdballs
und glitzernden Muscheln des Meeres. Eine Tafel – näher der
Schwelle – steht zu einem Mahl gerüstet: sieben silberne Be-
cher, Teller. Mitten unter blauem Tuch eine Schüssel.*

*Zwei ernste Bucklige – Diener – haben den Bildteppich ganz
zurückgestreift und gehen von den Ecken vorn nach einer
Tür links hinten.*

Hinter der Längsseite der Tafel sitzen: Eustache de Saint-Pierre in der Mitte, links weiter der Fünfte Bürger und der Vierte Bürger – ein Sitz ist hier frei; rechts der Dritte Bürger und Jean d'Aire; vor dieser Querseite ist ein leerer Sitz.)

EUSTACHE DE SAINT-PIERRE *(Jacques de Wissant nach links weisend).*

Jacques de Wissant, suche hier deinen Sitz! – *(Zu Pierre de Wissant.)* Du sollst der Letzte am anderen Ende der Tafel sein, Pierre de Wissant. Wir müssen euch Brüder weit voneinander setzen, daß ihr den Ring, der sich bis auf die Lücke schon schloß, nicht wieder sprengt! – *(Wieder zu Pierre de Wissant.)* – Du bist der Nächste der Tür. *(Gegen Jacques de Wissant.)* Du erreichst sie zuletzt. *(An die anderen.)* Zwischen diesen kommen wir später und früher an. *(Mit hervorbrechender Heiterkeit.)* Später oder früher – was beeilen wir die wenigen Schritte, die wir noch zu bemühen haben. Kein Morgen drängt – keine Pflicht besorgt – wir feiern nach Morgen und Mittag die Muße, wie ihrer keiner frönt!

(Die beiden Buckligen haben gehäufte Schalen dunkelblauer Trauben, grüner Feigen, gelber Äpfel auf den Tisch getragen.)

EUSTACHE DE SAINT-PIERRE.

Wir wollen das Mahl genießen. Früchte! – Wer will aufstehen, ohne sich zu sättigen? – Das Auge labt sich daran – der Gaumen schmeckt an sprießender Süße, die ein Land sott, das wir nicht sehen. Nun rollt die reife Frucht auf unsere Hand! – Verlohnte es sich nicht unseres Eifers, mit dem wir das Meer zur Brücke von Küste zu Küste wölbten, um dieser saftigen Früchte willen? – Genießt doch! *(Die anderen verharren stumm und reglos.*

Die Buckligen bringen die Gefäße, die Wein enthalten und stellen sie hin. Nun bleiben sie hinter Eustache de Saint-Pierre stehen.)

EUSTACHE DE SAINT-PIERRE.

Wein –! Wen dürstet schwächer, um nicht am Tisch zu

bleiben? Wer steht auf und schiebt den Stuhl an den
Tisch und dreht sich um und geht hinaus? – Prüft doch
die Flut! – *(Er sieht um den Tisch – dann nimmt er eine
Frucht von der Schale.)* – Wir sitzen um diesen Tisch –
wir suchen das gleiche Ziel – der Willen ist einer – so
teilen wir noch die gleiche Speise!
*(Er zerschneidet die Frucht siebenfach. Er gibt dem einen
Bucklichen den Teller, beide Bucklige gehen um den Tisch:
der zweite legt nun von rechts anfangend jedem auf – Eustache de Saint-Pierre auslassend, dem er dann den Teller
mit dem letzten Fruchtstück wieder vorsetzt.)*
EUSTACHE DE SAINT-PIERRE *(gießt Wein in seinen Becher
aus).*

Wir zehren von dieser Frucht – nun mundet uns derselbe Wein!
*(Der erste Bucklige trägt den Becher Pierre de Wissant hin.
Dieser trinkt, gibt an den Bucklichen zurück. Mit der Ausnahme von Eustache de Saint-Pierre trinken alle; Eustache
de Saint-Pierre erhielt den Becher zuletzt und trank.)*
EUSTACHE DE SAINT-PIERRE.

Wir haben getrunken – nun genießt doch!
*(Er verzehrt das Fruchtstück. – Die anderen – gebückt auf
den Tisch – tun wie er.*
*Die Tür rechts vorn wird geöffnet. Jean de Vienne tritt ein
und hält sie noch auf: dunkler Lärm der Menge dringt ein.)*
EUSTACHE DE SAINT-PIERRE *(lächelnd).*

Jean de Vienne, wir halten das Mahl. Früchte und Wein
erquicken uns jetzt!
JEAN DE VIENNE *(schließt und tritt unten vor die Mitte).*

Ich komme in den Saal, weil mich die Sorge treibt. Die
Unruhe, die sich bei dem Anblick des ersten gedämpft
hatte, ist mit dem letzten, der hier hereinging, nun von
neuem ausgebrochen. Sie murren und rufen schon laut
nach einem. Er soll heraustreten und sich vor ihnen zeigen – um dieser Ungewißheit das Ende zu setzen! – Es
ist dieser Krampf, der das Bürgervolk von Calais ver-

wandelt hat und es meinen Augen fast unkenntlich
macht: – mit dem sie an ihre Rettung glauben, wenn der
Siebente sich von euch scheidet. Es ist nicht dies, daß sie
an dem festen Willen eines von euch zweifeln – dieser
Vorwurf schändet sie noch nicht! – das Warten seit dem
frühen Morgen hat ihre Kraft geschwächt. Nun schwillt
sie vor der nahen Entscheidung ohne Widerstand auf! –
Eustache de Saint-Pierre, ich weiß, was ich von dir – von
euch bitte! – Eustache de Saint-Pierre, schicke die Gewißheit – antworte ihrem Verlangen – es ist viel für jene
– für euch gering: ihr feilscht nicht um die karge Frist!

EUSTACHE DE SAINT-PIERRE.

Du trägst die Stimmen, die draußen lärmen, in den Saal
zu uns. Wir hören ein dumpfes Geräusch und ein pfei-
fendes Zischen – unsere Ohren dröhnen davon – unser
Kopf denkt es nicht. Unsere Tat wartet doch morgen auf
uns – müssen wir nicht unsere Ungeduld zügeln? –
(Rasch.) Unser Mahl ist beschlossen – das ist, was du aus
dem Saal berichten sollst. Sage es doch schnell, Jean de
Vienne!

*(Auf einen Wink beginnen die Bucklige die Tafel abzuräu-
men.)*

JEAN DE VIENNE *(wartet noch, dann geht er eilig nach rechts,
ab.*

*Die beiden Bucklige haben ihren Dienst vollendet und ent-
fernen sich nach links hinten.*

*Auf dem Tisch ist nur die verhängte Schüssel stehengeblie-
ben).*

EUSTACHE DE SAINT-PIERRE.

Es ist leer über dem Tisch – nun können die Reden um
den Tisch laufen. So wird das Mahl vollkommen. Wer
teilt nicht beides klug, um jedem das volle Maß zu geben? Ihr schwiegt, als ihr aßet – jetzt ist euer Mund dop-
pelt beredt. Nun verschwendet er gerne seine heimliche
Lust – so müssen wir von dem schwersten reden, das
dieser Tag auf uns legte! – *(Er wendet sich zu dem Fünften*

Bürger neben sich.) Was ist es, das dich zwischen dem
frühen Morgen und deinem Gang hierher mehr denn alles beschäftigte?

DER FÜNFTE BÜRGER *(vor sich hinblickend).*

Ich habe einen alten Vertrauten, den führte ich bis an die
Schwelle dieses Saales. Ich wollte ihm von Plänen, mit
denen ich mich trage, mitteilen. Ich wollte ihn in meine
Entwürfe – verborgene Hoffnungen einweihen. – Ich
konnte es nicht. Meine Zunge war gebunden. War es
denn das letzte Mal, daß ich zu ihm redete? Entäußerte
ich mich nicht voreilig meines Eigentums? Und mußte
ich ihn nicht einsetzen, um es vor dem Verluste zu ret-
ten? Eins stieß – jenes hemmte. Und zwischen Stößen
und Widerstreben entstand die Marter dieses Tages, die
ihren Stachel scharf stach: – die Ungewißheit des letzten
Ausgangs!

*(Die anderen haben die Köpfe erhoben und sehen mit einem
betroffenen Staunen nach ihm.)*

EUSTACHE DE SAINT-PIERRE *(mit rascher Wendung zum Dritten Bürger neben sich, verwundert).*

Was ist ärger, als in der offenen Halle aus den Reihen
aufzustehen und vor alle hinzutreten? War dein Entschluß nicht am schwersten zu fassen, mit dem du dein
helles Gewand von dir streifst – und mit dem Kleide
dein langes Leben? Ist eins noch bitter bei diesem?

DER DRITTE BÜRGER *(nickt schwer).*

Mich geleitete eine greise Mutter. Ihr Mut blieb fest –
mit dem sie am Morgen den Entschluß des Sohnes
hörte. Hier lag sie klagend an meinem Leib! – *(Aufblik-
kend.)* Betrog ich sie nicht um den Abschied? Erstickte
ich nicht ihren Schrei, mit dem sie mich wieder zu sich
riß? Glitt ich nicht hin ohne Wesen? Kehrte ich nicht
wehend in ihren Schoß zurück? Häufte ich nicht den
kreißenden Schmerz in hundertfacher Wiederkunft? –
Derselbe Atem entließ mich und begrüßte mich. Ein un-
geheures Wirrsal drehte den sausenden Wirbel. Und die

Ungewißheit machte sie stammeln – sie verdrehte ihre
Worte – sie fand keins und schlich von mir – arm und
leer – um ihre Schätze geplündert, die sie nicht vor mir
ausbreiten konnte! – *(Den Kopf aufstützend.)* – Sie litt
mein Leiden – sie klagte meine Klagen. Aufzustehen
und für alle hinzutreten – ist leicht. Die Last, die mich
zu Boden biegt, bürdet diese Tat nicht auf. – *(Er spreizt
die Hände über dem Tisch.)* Diese Tat – wo ist sie? – –
*(Eine Unruhe löst sich um den Tisch, die den Dritten Bürger
bestätigt.)*

EUSTACHE DE SAINT-PIERRE *(sich gegen den Vierten Bürger
vorbeugend).*

Du kamst nach diesen beiden. Gingst du langsamer, weil
diese Stunde dir kostbar wurde, wie keine deines Lebens? Zähltest du sie mit Schritten ab – wie Finger den
Wert der Ringe einer Kette, weil sie entgleitet? Drohte
der Schatten deines Entschlusses dunkel? Saugst du das
wenige Licht, das dir noch leuchtet, nun mit heißerer
Begierde?

DER VIERTE BÜRGER.

Ich ging von meinem Hause – und die im Hause immer
mit mir war – ging mit mir. Wir schritten nebeneinander
ohne Hast und ohne Halt – wie an einem schönen Som-
merabend aus der Stadt. Das Blut klopfte nicht schneller
– und staute nicht. Es ist ein Tag wie jeder. – *(Mehr in
sich versunken.)* Das Licht floß gestern durch ihn – so
strömte es von Anfang unserer Zeit miteinander. Kein
Schatten löschte je – kein Dunkel brauste je – kein Verlangen, das sich nicht stillte – kein Glück, das sich uns
beiden nicht bescherte. Ist es nicht recht und billig, daß
morgen eine schwarze Wolke sich türmt? – Muß ich
nicht in sie hineingehen – beladen mit meiner Schuld?
Rufe ich nicht Dank – Dank – wenn sie mich mit ihrer
Gewalt zermalmt? – Bin ich nicht lüstern danach –
schwingen nicht meine Lippen – spannen sich nicht
meine Arme, an mich zu reißen die, der ich danken muß

– mit glühenden Worten – in dringender Verschrän-
kung? – Sind ihre Lippen nicht geöffnet – ihre weißen
Hände nicht nach mir gestreckt – wartet ihr bereiter
Leib nicht auf Ergießung, die sich erschöpft mit diesem
Mal? Sind wir nicht zueinander getrieben – und auf der
Stelle gelähmt? – – Unsere Arme fielen müde herab –
unser Mund blieb stumm – wir standen steif und fremd.
– Wer will den Dank sagen, wenn das Geschenk nicht
ausgegeben ist? Wer lästert das neue Geschenk mit
seinem frühen Genügen? Wer will danach geben und
hinnehmen, ohne die Scheu zu prassen? – Diese Stunde
vernachtete das tiefste Dunkel. Aus ihm herauszugehen
– ist der einzige Wunsch, der brennt. Entlassen oder
überliefert – es ist eins und gleich. Überliefert, es peinigt
nicht – entlassen, es verlockt nicht: über jenem und diesem erleuchtet endlich – die Gewißheit!
*(Jacques de Wissant und Pierre de Wissant sind zugleich auf-
gesprungen und strecken die Arme nach der verhängten
Schüssel.)*

EUSTACHE DE SAINT-PIERRE.
Jacques de Wissant – Pierre de Wissant, seid ihr nicht
Brüder? Am Morgen verwies es euch euer brüderliches
Blut, vor dem andern beiseite zu stehen und mit ihm
sein Leben zu verdienen, als ihr zugleich und einer zu-
viel aus den Reihen stiegt. Entzweite euch die Hitze des
Tages? Gönnt ihr das eine Los dem andern nicht mehr?
Will es jeder schnell erraffen? – *(Einer Entgegnung zuvor-
kommend zu Jean d'Aire.)* Was ist es, das dir den Weg in
diesen Saal weit und finster verwandelt?

JEAN D'AIRE.
Ich gehe weite Wege nicht mehr. Jeder Weg ist kurz –
das Ziel ist nahe. Ich sehe es so dicht vor mir, darum
trübt es kein Staub. Es ist hell um mich – das Dunkel ist
gewichen: ich kenne, wohinaus ich walle. Meine Zeit ist
ausgeschenkt – meine Schätze sind ausgeteilt. Ich halte
nichts mehr mit diesen dorren Fingern! – Welchen Teil

gewinne ich an der Tat, zu der ich mich bereite? Schma-
rotze ich nicht an dem Lob, das euch dröhnt? Bin ich
nicht der schellenklingende Narr bei euch? Ich brüste
mich – und mir geschieht doch nur, was noch geschehen
muß. Von der untersten Stufe meines Alters steige ich
herab – eine tiefere breitet sich nicht – was schwankt
mein Schritt? – Ich weiß alles – durchsichtig ohne Wand
liegt der Rest. Fasse ich das eine Los – oder verliere ich
damit, es ist kein Unterschied. Darum vergebt und zollt
meiner Scham, daß ich mit euch am Tische sitze! – *(Leb-*
hafter.) Ihr seid würdig – ihr leidet die Qual. Ihr habt
zwischen vielem zu wählen. Ihr sollt verzichten – ich bin
schon leer. Ihr sollt eure Augen vor allem Licht und
Mittag verschließen – ich bin schon blind. Ihr sollt die
Luft im Halse erwürgen – meine Brust ist schon tot.
Von euch wird das Schwerste gefordert – mir gilt der
Ruf nichts mehr: ich bin vor allem Taumel geborgen –
ich bin von jedem ja und nein des Ausgangs geschieden
– mein Los ist eins – ob dieses oder jenes – es friert mir
aus dem Eis meiner Jahre – ich ruhe in dieser Unruhe –
mit meiner schönen Gewißheit!
(Die Bewegung um den Tisch hat sich mit den letzten Wor-
ten Jean d'Aires mehr und mehr gesteigert: Hände greifen
nach dem Tuch über der Schüssel.)

PIERRE DE WISSANT *(aufrecht, seine Fäuste an die Schläfen*
drückend).
Ich will der erste vor euch morgen aus der Stadt gehen
– ich will den Kopf nicht nach euch drehen – ich will den
Strick vor mich strecken und die Schlinge eifrig rücken
– und lachen und lästern – *(Ausbrechend.)* Ich will das
letzte Los nicht – ich will mein Los!

JACQUES DE WISSANT *(stammelnd).*
Ich will das siebente nicht – ich will das erste nicht – ich
suche mit keinem das Leben nach dieser Nacht! – *(Im*
Ausbruch.) Ich will mein Los – ich will mein Los! – *(Rö-*
chelnd.) Das andere reizt zum Wahnsinn!

DER VIERTE BÜRGER (*zu Eustache de Saint-Pierre*).

Schicke die Schüssel um den Tisch!

DER FÜNFTE BÜRGER (*dringender*).

Eustache de Saint-Pierre – schicke die Schüssel um den Tisch!

JACQUES DE WISSANT, PIERRE DE WISSANT und DER DRITTE BÜRGER (*im Schrei*).

Schicke die Schüssel um den Tisch!

JEAN DE VIENNE (*in Hast von rechts. Er schließt die Tür nicht, geht schnell bis zur Mitte.*

Ungehindert dringt der Schall von draußen: ein kreischendes Schreien, ein heulendes Winseln, Johlen und grelles Pfeifen).

JEAN DE VIENNE.

Eustache de Saint-Pierre, sie wollen nicht länger warten. Sie fordern den Siebenten. Sie schreien über mich hin – ich mahne sie nicht mehr zur kleinsten Geduld! – Ich habe die Wächter vor den Eingang gestellt – doch vertraue ich nicht der schwachen Macht. Euer Säumen zögert den Aufstand heran, den wir nicht bändigen. Die Folgen sind für alle furchtbar! – Eustache de Saint-Pierre, ich habe die Scheu nicht mehr – ich flehe von dir: – schicke den Siebenten hinaus!

EUSTACHE DE SAINT-PIERRE.

Du kommst um ein kleines zu früh –

JEAN DE VIENNE.

Es wird um ein kleines zu spät!

EUSTACHE DE SAINT-PIERRE (*unbeirrt*).

– und störst im Saal: siehst du nicht, daß jede Hand ausgestreckt ist? – (*Heftig.*) Willst du unsern Gleichmut erschüttern, der uns um diesen Tisch wie zur Feier versammelt? Ist er uns nicht nötig? – Du dringst mit diesem Ungestüm ein: – lacht nicht jenen das Licht – spielt nicht die laue Luft an ihren Stirnen? – Schone uns doch vor dem Lallen und Greinen! – Freut euch der Sonne und Wärme – indes wir das Dunkel und die Kühle wählen!

JEAN DE VIENNE.

Eustache de Saint-Pierre, ich will hier warten und mit dem Letzten herausgehen!

EUSTACHE DE SAINT-PIERRE *(noch stärker)*.

Du bist fremd zwischen uns – du hast das Mahl nicht am Tisch gegessen – du hast nicht mit uns getrunken – du bist von uns geschieden, wie jeder nun jenseits tiefer Klüfte steht!

JEAN DE VIENNE.

Eustache de Saint-Pierre, dauert es noch? 10

EUSTACHE DE SAINT-PIERRE.

Wir sind bereit!

JEAN DE VIENNE *(geht mit gebeugtem Nacken nach rechts, ab. Es herrscht lautlose Stille).*

EUSTACHE DE SAINT-PIERRE *(zieht die verhängte Schüssel zu 15 sich).*

Die blaue Kugel ist kalt auf der Hand – und erkältet das Leben. Wem rollt sie – wem rollt sie nicht? Nun bin ich mit euch begierig! – Jacques de Wissant – Pierre de Wissant, ihr stelltet das Spiel an – so leitet es ein. Diesmal 20 soll euch die erste Kugel trennen, mit der ihr den Ausgang nicht wieder verwirrt! –

(Er reicht dem Fünften Bürger neben sich die Schüssel, dieser gibt an den Vierten Bürger. – Der Vierte Bürger bietet Jacques de Wissant an. 25

Die anderen verharren in hingenommener Aufmerksamkeit. Eustache de Saint-Pierre sieht vor sich auf den Tisch.)

JACQUES DE WISSANT *(öffnet mit linker Hand knapp das Tuch und schiebt die rechte hinein. In noch dicht umschließenden Fingern holt er heraus – streckt den Arm lang und tiefhal- 30 tend über den Tisch und – zeigt auf gewölbter Handfläche blaue Kugel dar.*

Alle Blicke drehen sich nach Eustache de Saint-Pierre, der seine Haltung nicht verändert).

JACQUES DE WISSANT *(drückt die Hände, darin die Kugel, auf 35 seine Brust).*

DER VIERTE BÜRGER *(gibt die Schüssel wieder an den Fünften Bürger – und sucht die Kugel: die er vorweist – ist blau. Danach stützt er die Stirn auf die umfaltenden Hände).*

DER FÜNFTE BÜRGER *(will an Eustache de Saint-Pierre reichen).*

EUSTACHE DE SAINT-PIERRE *(sieht flüchtig auf und greift schnell: die blaue Kugel, die er holt, legt er vor sich auf den Tisch – nimmt die Schüssel und hält sie dem Fünften Bürger hin).*

DER FÜNFTE BÜRGER *(zögert staunend – dann zieht er die blaue Kugel. Er läßt die weit vorgeschobenen Hände offen und wirft den Kopf in den Nacken).*

EUSTACHE DE SAINT-PIERRE *(wendet sich mit der Schüssel – ohne aufzublicken – an den Dritten Bürger).*

DER DRITTE BÜRGER *(zeigt die blaue Kugel, legt sie auf den Tisch – um Jean d'Aire die Schüssel anzubieten).*

JEAN D'AIRE *(sieht Pierre de Wissant an, lächelt – und wählt lange unter dem Tuch. Von neuem sieht er Pierre de Wissant an und öffnet – ohne die eigenen Augen darauf zu lenken – die blaue Kugel).*

PIERRE DE WISSANT *(beugt sich vor – und steht auf).*
Ich bin es!
(Alle drehen sich bei dem Geräusch und seinen Worten rasch hin – der Dritte Bürger stellt die Schüssel hin.)

EUSTACHE DE SAINT-PIERRE *(rasch).*
Hast du dein Los gegriffen?

PIERRE DE WISSANT.
Eine ist übrig – ihr haltet sechs blaue Kugeln!

EUSTACHE DE SAINT-PIERRE *(schüttelt den Kopf).*
Die Schüssel ist nicht leer – soll danach einer der Krüppel sie ausschütten? *(Er schiebt die Schüssel näher zu ihm, der Dritte Bürger rückt sie schräg über den Tisch ganz dicht vor ihn.)*

PIERRE DE WISSANT *(zuckt die Achseln, zieht das Tuch weg – stutzt und hebt langsam eine blaue Kugel heraus – stammelnd).*
Die letzte Kugel ist blau!

(Um den Tisch ist es still.)

JACQUES DE WISSANT *(nun die seine hinstreckend).*

Blau ist diese!

DER DRITTE BÜRGER *(ebenso).*

Diese ist – wie die letzte!

DER FÜNFTE BÜRGER, DER VIERTE BÜRGER *(erst einzeln).*

Diese – *(Nun zusammen.)* – sind wie eure!

JEAN D'AIRE *(ruhig).*

Eustache de Saint-Pierre, haben die dummen Krüppel
die Schüssel gemengt?

EUSTACHE DE SAINT-PIERRE *(allen Blicken lächelnd begeg-
nend).*

Ich weiß es. Ich habe euch dieselben Kugeln gereicht!
(Voll betroffener Neugierde ruhen die Blicke auf ihm.)

EUSTACHE DE SAINT-PIERRE *(lebhafter).*

Verwundert euch das? Findet ihr noch nicht den Schlüssel – birst nicht das Rätsel und schüttet sich auf eure
Hände? – *(Er sieht von einem zum andern, die sich nicht
regen. Dann nickt er.)* – In euch tost der Wirbel dieses Tages – ihr seht das Nächste nicht! – *(Sich aufrichtend.)* So
muß einer von uns führen – ich bringe euch aus dem
Wirbel und ans Ende! – *(Eindringlich nach rechts und
links.)* – Wer drängte sich an diesem Morgen vor in der
offenen Halle? Blänkte nicht um seinen Leib Panzer
und Wappen – schoß nicht das steile Schwert von harter
Faust? Stäubte nicht vom Kamm seines Helmes gerader
Mut? Schwoll nicht die Tat seiner Tapferkeit über jede
auf? Schwert, Schlag und hauender Streit – war nicht der
heiße Glanz um sie gegossen – vergaben sie nicht den
letzten Ruhm und rissen die beste Kraft zu sich? Galt eines vor diesen? Kroch nicht die Scham daran vorbei und
begrub sich in die Winkel? – *(Nach einem Warten.)* – Ich
ging nicht vorüber – ich stellte mich an ihn und maß
meine Tat neben seiner – und schlug ihm das Schwert
von der Hand und zerriß die grelle Fahne. Er brach auf
– ich blieb!

(Tiefvorgebeugten Leibes hören die andern hin.)

EUSTACHE DE SAINT-PIERRE.

Womit schlug ich ihm das Schwert aus seiner Hand? Womit zerbrach ich seine Tat – und die Kette dieser Taten, die aus dem Anfang läuft, soweit wir zählen? Wie erniedrigte ich sie ihm – und riet von ihrem Mut? – Verwies ich ihn recht und billig daraus – lästerte ich mit einem losen Wort, wie ich seinen Mut zum Kot stieß? – Wie konnte er sich morgen entzünden, wenn er sich in den Kampf stürzt, der heute entschieden ist? – Und ist heute sein Mut groß, da der Kampf noch nicht geschieht? Springt er nicht in seine Tat –: der Sprung trägt leicht und betäubt ihn mit süßem Schwindel vor den stechenden Pfeilen der Tat! – Macht er seine Tat nicht feige, weil er sie heute beschließt? Schändet er sie nicht, weil er sie nicht bis an das Ende rollt? Heute kippt er den Sturz seines Helmes nieder – ein schweres Dunkel quillt dahinter und erstickt die Luft – morgen fällt ihn ein lahmer Streich nach vielen Streichen – denn vor seinem letzten Hieb ist er schon tot!

(Pierre de Wissant ist von seinem Platz gegangen und – sich auf den Dritten Bürger auflehnend – ist er lauschend Eustache de Saint-Pierre nahe. Andere stützen Kinn und Wange auf die Hände.)

EUSTACHE DE SAINT-PIERRE *(heimlich lachend).*

Er schenkte sein Schwert weg – und stieg über die vielen Stufen und trug – Stufe nach Stufe – die Last, die er von meiner Brust hob. Ich atmete auf, als er oben verschwand. Hatte ich ihn denn nicht listig verstrickt? Und schüttelte er sich nicht mit einem Raffen seiner Schultern frei und warf mir mein Garn vor die Füße? Überbot ich denn mit diesem und jenem – mit einem seinen Mut? War nicht meine Entschließung – *(Zu einigen.)* – deine – deine – und deine – heute von euch gefaßt? Konntest du – *(Wie vorher.)* – du – du nicht heute jeden Abschied nehmen und dich in dich verschließen, daß

morgen außer dir kein Licht – kein Leben mehr quält?
– *(Umblickend.)* Bist du nicht von deiner Tat geschieden
– wie er? Entziehst du dich nicht dem Stachel deiner Tat
– wie er? Mußt du nicht in Angst sein, daß morgen ein
Kind deinen Witz ausruft – und dir an deinen Strick im
Nacken die Schelle heftet?

(Einige nicken schwer.)

EUSTACHE DE SAINT-PIERRE *(einen Finger aufreckend).*
Wir waren dicht an – vor diesem Witz mit unserem
Werk zuschanden zu werden! – *(Pierre de Wissant über
das Haar streifend.)* Da kamt ihr – du und der Bruder –
zu meiner Hilfe!

*(Jacques de Wissant geht hin und legt den Arm um Pierre de
Wissant.)*

EUSTACHE DE SAINT-PIERRE *(wechselnd zu ihnen).*
Ihr überbotet die geforderte Zahl und sprengtet unsern
Kreis wieder, der fast geschlossen war. Der eine von
euch beiden gab jedem seinen Entschluß zurück und
entließ alle. Nun wurde jeder übrig – der Siebente – der
Überzählige hinter sechs! – *(An die anderen.)* Wer war
es? Konntest du nicht ausgeschieden sein – nicht du –
nicht du? Du mit dem gleichen Recht wie
dein Nächster? Gingst du nicht jetzt von uns – mußtest
du nicht jetzt zu uns umkehren? Wurde deine Tat dir
nicht abgenommen und aufgelegt – in einem schnurren-
den Wechsel? Konntest du einen Atemzug lang sie verlieren – oder dich in ihr verbergen – in ihrer Notwen-
digkeit ohne Entrinnen und Lücke? Sie blieb vor euch
aufgetan – und das sperre Tor begrub euch nicht! – *(An
Pierre de Wissant und Jacques de Wissant.)* So konnte, der
über die Stufen flüchtete, meinen Vorwurf nicht an mich
schleudern: durch euer doppeltes Dastehen leistete ich
ihm Genüge! Nun war die Entscheidung zwischen uns
bis an den Nachmittag hinausgeschoben! – – – –

DER VIERTE BÜRGER *(nach ihm aufblickend).*
– Wird nicht die Tat – morgen! – von uns verlangt? Ist

nicht eine Frist gegeben – von diesem Nachmittag an
den Morgen, die reicht – mich dicht und dumpf zu verschließen vor der Qual?

EUSTACHE DE SAINT-PIERRE *(hell).*

Seht die Kugeln an – sie ist euch nicht gelassen! – *(Rasch
gegen die Bewegung um den Tisch.)* Ich spielte mit euch
dies Kugelspiel – ich erfand es aus den Erfahrungen dieses Tages. Lockte ich es nicht von euch aus den Gesprä-
chen um diesen Tisch? – *(An den Fünften Bürger.)* Woran
trägst du am schwersten seit diesem Morgen? Besinne
dich! – *(Weiter zum Vierten Bürger.)* Was stieß Stachel
und Keile in dein Fleisch? Verhehle nichts! – *(Zum Dritten Bürger.)* Was wühlte durch dein Blut? Beschönige
nicht! – *(Auf zu Jacques de Wissant und Pierre de Wissant.)*
Was quälte euch? Zögert nicht! *(Zu Jean d'Aire, stut-
zend.)* Was beglückte dich so tief? – *(Eindringlich.)* Dich
lullte die Gewißheit ein – euch reizte die Ungewißheit.
Dieser Krampf schüttelte euch – er macht euch feige –:
ihr verratet die Tat, von der euch brennt!

*(Pierre de Wissant und Jacques de Wissant gehen nach ihren
Plätzen; es ist still um den Tisch.)*

EUSTACHE DE SAINT-PIERRE *(stärker).*

Heute sucht ihr die Entscheidung – heute betäubt ihr
euern Entschluß – heute überwältigt ihr mit Fieber euren Willen. Ein schweler Rauch trübt um euch von Stirn
zu Sohlen und verhüllt den Weg vor euch. Seid ihr würdig, ihn zu gehen? Zu diesem Ziel zu wallen? Diese Tat
zu tun – die ein Frevel ist – ohne verwandelte Täter?
Seid ihr reif – für eure neue Tat? – Die an allem Bestand
lockert – die alten Ruhm verhaucht – die langen Mut
knickt – was klang, dämpft – was glänzte, schwärzt –
was galt, verwirft! – Seid ihr die neuen Täter? – Ist eure
Hand kühl – euer Blut ohne Fieber – eure Begierde ohne
Wut? Steht ihr bei eurer Tat – hoch wie diese? Ein halbes ist die Tat – ein halbes der Täter – eins zerstört ohne
das andere – sind wir nur Frevler? –

(Die andern blicken hingenommen nach ihm über den Tisch.)

EUSTACHE DE SAINT-PIERRE.

Ihr buhlt um diese Tat – vor ihr streift ihr eure Schuhe
und Gewänder ab. Sie fordert euch nackt und neu. Um
sie klirrt kein Streit – schwillt kein Brand – gellt kein
Schrei. An eurer Brunst und wütenden Begierde entzündet ihr sie nicht. Eine klare Flamme ohne Rauch
brennt sie – kalt in ihrer Hitze – milde in ihrem Blen-
den. So ragt sie hinaus – so geht ihr den Gang – so
nimmt sie euch an: – ohne Halt und ohne Hast – kühl
und hell in euch – ihr froh ohne Rausch – ihr kühn
ohne Taumel – ihr willig ohne Wut – ihr neue Täter
der neuen Tat! – – Tat und Täter schon verschmolzen
– wie heute in morgen! Wie wollt ihr heute und morgen noch trennen, wenn euer Willen sich nicht mehr
von eurer Tat scheidet? Wenn ihr sie leicht und lang
bis an das Ende rollt, in dem ihr überliefert seid oder
entlassen? Was versucht euch noch? Was bemüht euch
noch? Ist eure Ungeduld nicht verblasen – und tönt als
böser Schall vor diesem Saal? *(Er erhob seine Stimme
gegen den außen anwachsenden Lärm, der rasch vor-
dringt.*

*Die Tür rechts vorne wird aufgerissen: Jean de Vienne an
der Spitze vieler Gewählter Bürger überstürzt herein.)*

JEAN DE VIENNE *(schreiend)*.

Eustache de Saint-Pierre, die Wachen sind von dem Eingang getrieben – wir haben die Türen geschlossen – sie
halten noch Widerstand!

(Donnernde Stöße gegen die Türen hallen herein.)

EIN GEWÄHLTER BÜRGER.

Sie stürmen die Tür!

*(Ein krachender Schlag dicht draußen – dem jubelndes Ge-
schrei folgt.)*

EIN ANDERER GEWÄHLTER BÜRGER.

Die Treppe ist frei vor ihnen!

EIN ANDERER GEWÄHLTER BÜRGER.
> Sie laufen die Treppe hoch!

EIN ANDERER GEWÄHLTER BÜRGER.
> Sie kommen in den Saal!

EIN ANDERER GEWÄHLTER BÜRGER.
> Sie wollen sich eines von euch mit Gewalt bemächtigen!

JEAN DE VIENNE.
> Eustache de Saint-Pierre, wen hat das Los befreit?

EUSTACHE DE SAINT-PIERRE *(hat sich aufgerichtet, laut)*.
> Ein Irrtum ist unterlaufen – die Kugeln wurden in der
> Schüssel vertauscht. Wir haben uns redlich gequält –
> jetzt mangelt uns die Kraft, das Spiel zu wiederholen!
> – *(Noch stärker.)* Wir wollen uns ruhen bis an den
> Morgen – *(Auch an die um den Tisch.)* –: mit der ersten
> Glocke soll jeder von seinem Hause aufbrechen – und
> wer zuletzt in der Mitte des Marktes ankommt – ist
> los!
> *(Alle schweigen betroffen.)*

JACQUES DE WISSANT, PIERRE DE WISSANT *(um den Tisch vor
ihn laufend)*.
> Eustache de Saint-Pierre –

PIERRE DE WISSANT *(allein fortfahrend)*.
> Wir beide gehen morgen von demselben Haus – sollen
> wir wieder das Spiel verwirren, wenn wir zusammen auf
> dem Markte ankommen?

EUSTACHE DE SAINT-PIERRE.
> Sorgt ihr doch um den Morgen? Könnt ihr nicht mit eu-
> ren jungen Füßen vor den anderen laufen und die ersten
> im Ziel werden? *(Er steht auf.)*

JEAN DE VIENNE.
> Eustache de Saint-Pierre, willst du vor den wütenden
> Sturm draußen treten?

EUSTACHE DE SAINT-PIERRE *(denen am Tisch zuwinkend)*.
> Nicht ich – wir sind sieben: – soll es sie nicht besänfti-
> gen, daß einer noch zuviel ist? Kann nicht einen von uns
> über Nacht seine Erregung ohnmächtig machen? Ist es

nicht klug, den Überfluß zu bewahren? – Wir wollen es
ihnen deutlich sagen!

*(Die Sieben steigen von der erhöhten Schwelle und gehen an
Jean de Vienne und den Gewählten Bürgern vorüber, deren
sie mit keinem Zeichen mehr achten, aus der Tür und in den
Lärm hinein, der schnell verebbt und verstummt.*

*Jean de Vienne und die Gewählten Bürger sehen sich stau-
nend an.)*

Dritter Akt

Der Markt vor stufenhoher Kirchentür, die – mit ihrem spitzen
figurenreichen Giebelfeld – den ganzen Hintergrund bis auf
zwei schmale Gassen, die rechts und links zur Tiefe laufen,
einnimmt. Grau des frühen Morgens schenkt Gebilden und
Gestalten schwache Deutlichkeit: die Seiten und noch in die
Gassen säumt die dichte Ballung des Bürgervolkes – kenntlich
mit blassem Streifen der helleren Gesichter.
In der Mitte bewegen sich die Gewählten Bürger.

JEAN DE VIENNE.
Hier ist der Schlüssel. Ich bin mit ihm von langer Zeit
vertraut – ich taste an ihm oben jede Krümmung ab und
fühle unten an ihm jede Buchtung – mit meinen Fingern
finde ich ihn genauer wie mit meinem Kopfe! – an diesem Morgen liegt er fremd auf meinen Händen. Es ist
eine Last, die sich durch meine Arme auf meine Schultern schiebt und mit erdrückendem Gewicht auf den
Boden zwingen will! – Er erwärmt sich auch nicht von
meinem Blute. Ein starrer Frost dringt von ihm aus und
erkältet die Haut um mich. Ich friere an diesem kleinsten Erz! – Ich halte ihn mit Mühe fest.
(Die Gewählten Bürger stehen still um ihn.)

JEAN DE VIENNE.
Ich scheue mich, ihn auf andere Hände zu legen. Ich
fürchte, daß die stärkste Kraft mit ihm zusammenbre-
chen soll – der fügsamste Wille bersten. Trägt nicht der
die zweifache Bürde hinaus: die er hier empfängt – und
jene, mit der ihn sein Entschluß schon belud? – Ich weiß
nicht, wem von ihnen ich diese äußerste Anstrengung
zumuten soll!
(Es herrscht Schweigen.)

JEAN DE VIENNE *(sich aufraffend).*
Ist er euch deutlich, den ich vor den anderen mit dem
Schlüssel schicke?

EIN GEWÄHLTER BÜRGER.
Der gestern in der offenen Halle vor den anderen zuerst

aufstand – muß der nicht heute vor ihnen schreiten, Jean
de Vienne?

EIN ANDERER GEWÄHLTER BÜRGER.

Der sie mit seinem Vortreten rief – liegt nicht die Pflicht
auf ihm?

JEAN DE VIENNE *(sieht auf)*.

– Kann nicht Eustache de Saint-Pierre hier der letzte
sein?

(Neue Stille.)

JEAN DE VIENNE *(nach einem Warten)*.

Ich will keinen bezeichnen. Wer von uns kennt, wie einer aus dieser Nacht geht? Wer sah schon einen zu diesem Gang hier ankommen? Ihr bestimmt jetzt diesen
und trefft vielleicht den schwächsten mit eurem Urteil!
– *(Stärker.)* Wir atmen im wehenden Morgen – die herrliche Sonne ist uns gewiß – wir schelten leicht und
frisch! – Ich will nicht diesen oder einen bestimmen! – –

EIN ANDERER GEWÄHLTER BÜRGER *(fest)*.

Jean de Vienne, wir suchen den Streit von ihrem letzten
Morgen zu nehmen, wenn wir dies vorbereiten: – gib an
den ersten von ihnen, der ankommt, den Schlüssel!

JEAN DE VIENNE *(langsam)*.

Wer geht den kürzesten Weg von seinem Hause? – *(Mit
wachsender Heftigkeit und nach den Seiten weisend.)* Sind
seine Schritte nicht schon ausgezählt? Lief die Neugierde ihm nicht voraus und schleppte ihn durch die
Straßen – hundertmal? Rastete der grausame Eifer seit
gestern? Tollte nicht das harte Klappern ihrer flinken
Schuhe über den steinigen Grund durch die Nacht?
Scholl es nicht, als schleuderten sie mit einem Sturm von
Steinen nach einer Scheibe? – Sie haben sich ein schänd-
liches Spiel daraus gemacht und das hat ihre Ungeduld
unterhalten – jetzt erwarten sie die Erfüllung, um vor
einander zu prahlen, wer klüger rechnete! – Ich habe
nicht die Macht, sie von den Rändern des Marktes zu
treiben – ich gönne ihnen den Anblick nicht! – *(Zu den*

Gewählten Bürgern.) Hörtet ihr nicht – maß nicht auch
schon einer eurer Gedanken die mindeste und die läng-
ste Strecke vor: – wer ist der Nächste zu seinem Ziel?

MEHRERE GEWÄHLTE BÜRGER *(dumpf, zögernd).*

Eustache de Saint-Pierre. – *(Dann viele.)* – Eustache de
Saint-Pierre!

JEAN DE VIENNE.

Ihr findet nur diesen Namen. Ihr ratet ihn wieder. Er
ruft sich an Anfang und Ende. Er lockte gestern – soll er
nicht heute mit demselben Willen verführen? Ihr habt
recht, er ist der nächste. Er drängte sich gestern zu – er
wird jetzt vor den anderen eilen. Er ist der erste vor ihnen – mit seinen schnellen Schritten – mit seiner frohen
Kraft. Er wird dies von mir fordern: vor den anderen
hinauszugehen und diese Last noch, die mich bedrückt,
auf seinen vorgestreckten Armen wie eine dünne Feder
tragen. Jetzt ist alle Angst von mir gewichen – jetzt sind
Spiel und Ziel eins: – an Eustache de Saint-Pierre sinkt
jeder Zweifel nieder!

*(Aus der Dichte längs der Seiten haben sich Arme gestreckt
– neue Arme heben sich neben: von scheinenden Händen
geschieht ein eindringliches Hinweisen nach oben.
Ein schwacher Lichtstrahl trifft die Spitze des Giebelfeldes.
Die Gewählten Bürger blicken hoch.)*

JEAN DE VIENNE *(mit stürmischer Geste).*

Die Zeit ist da – wir müssen ihnen die Gewänder rüsten!
*(Eine Glocke klingt, die in weiten Pausen schrille Schläge
tut.
Die Arme sinken.
Gewählte Bürger bücken sich zu den Stufen und nehmen
vor die Brust dunkle Bündel auf.
Die Glocke tönt nicht wieder.)*

JEAN DE VIENNE.

– – Nun sind sie aufgebrochen – nun ist ein Gehen in
den Straßen, wie noch keins in ihnen erschütterte! – –
(Wieder nach einem Warten.) Wir wollen dem Ersten am

Ende seines Weges entgegentreten. Kennen wir nicht
den, den Eustache de Saint-Pierre schreitet?
*(Er geht nach rechts, ihm folgen einige – auch einer, der ein
Bündel trägt.*
*Von links dringt klappernder Hall eines gemächlichen
gleichmäßigen Schreitens; zugleich läuft von der Tiefe dort
ein Flüstern. Auf der rechten Seite zeigen noch zögernd –
dann rasch Arme hinüber – nun schwillt der zischelnde
Lärm stärker auf: Der Erste!)*

DER FÜNFTE BÜRGER *(kommt von links. – Er endigt seinen rü-
stigen Gang in der Marktmitte. Eine kleine Weile verharrt
er steif – dann dreht er den Kopf weit nach rechts – nach
links.*
Es ist lautlos still geworden).

DER FÜNFTE BÜRGER *(blickt vor sich auf den Boden – und
tritt aus seinen Schuhen. Danach richtet er das Gesicht nach
oben – und beginnt mit festen Händen sein Kleid am Halse
zu öffnen. Schultern und Arme sind entblößt – nun hält er
es nur auf der Brust zusammen und wartet).*

EIN GEWÄHLTER BÜRGER *(tritt von den anderen, rollt das
Bündel auf und entnimmt einen wenig langen Strick. – Er
stellt sich dicht hinter den Fünften Bürger, hebt das sackför-
mige farblose Gewand hoch über ihn und streift es an ihm
nieder: es hüllt an ihm mit schwerem Hang ein, verschließt
die Arme und schleppt um die Füße. – Nun weitet er die
Schlinge – und legt sie auf die Schultern, das lose Seil im
Rücken lassend).*

DER FÜNFTE BÜRGER *(tut einen Schritt beiseite).*

DER GEWÄHLTE BÜRGER *(bückt sich, rafft die leeren Schuhe
und das Kleid auf, geht weg und legt alles auf die Stufen
nieder).*

JEAN DE VIENNE *(hatte sich bei der Ankunft des Fünften Bürgers schleunig hingewendet. Ihm stellten sich einige Gewählte Bürger entgegen und bedeuteten ihn heftig. Jetzt sie
abweisend).*
– Ich sehe ihn. Er ist es, der in der Halle zuerst zu Eu-

stache de Saint-Pierre trat. Er schritt seinen Weg eilig.
Nun kommt er früher an als der, den wir vor allen er-
warten. Eustache de Saint-Pierre geht von seinem Hause
gemächlich. Er kennt seine Zeit. Eustache de Saint-
Pierre ist der nächste – der zweite auf dem Markte! –
(Er kehrt nach rechts zurück.)
(Wieder herrscht tiefe Stille.
Von links der hallende Gang hart wie zuvor.
Dasselbe Zischeln läuft um den Markt: Der Zweite! – und
verstummt.)

DER DRITTE BÜRGER *(erreicht ohne Aufenthalt den Fünften*
Bürger und stellt sich nach einem flüchtigen Blick nach ihm
neben).

EIN GEWÄHLTER BÜRGER *(dient an ihm – und entfernt sich).*

JEAN DE VIENNE *(auf seinem Platz verharrend, staunend).*
Wer ist es?

EIN ANDERER GEWÄHLTER BÜRGER.
Der nach den beiden aufstand und aus den Reihen
ging!

JEAN DE VIENNE.
Nach diesem – und wem?

EIN ANDERER GEWÄHLTER BÜRGER.
Nach ihm – und nach Eustache de Saint-Pierre!

JEAN DE VIENNE.
Eustache de Saint-Pierre –! – *(Seine Verwunderung von*
sich schüttelnd.) Wer will die Hast oder die Weile eines
ausmessen, der zu diesem Gang aufbricht? Einer dringt
von seiner Schwelle und stürmt durch die Straße – einer
löscht noch das Licht aus und verschließt seine Tür. Die
Füße verrichten dies Werk nicht – sie leisten den minde-
sten Dienst. Wir sind in dem Wettspiel dieser Nacht verwirrt – wir erfahren die schärfste Lehre. Ich war nahe
daran, einen Vorwurf zu erheben – jetzt fällt er schwer
auf mich. Ich schäme mich ihm entgegenzutreten, wenn
er nach diesen kommt. Wir wollen vor Eustache de
Saint-Pierre beiseite stehen!

(Er geht rasch von rechts weg.
Von rechts dringt ein langsam schlürfender Gang.
Die Köpfe links des Marktes sind vorgereckt. Rechts schwillt
das Raunen: – der Dritte! – und flutet nach links.)

JEAN D'AIRE *(tritt aus der Gasse rechts, hält inne und über-* 5
sieht den Markt. Dann nickt er, bricht auf und gelangt zur
Mitte. Er blickt die beiden prüfend an – und macht sich
daran, sein Kleid von dem fleischarmen Körper zu lösen).

EIN GEWÄHLTER BÜRGER *(rüstet ihn mit Gewand und Strick*
aus und trägt das bunte Kleid und Schuhe weg). 10

EIN GEWÄHLTER BÜRGER *(an Jean de Vienne her-*
antretend).
Dieser ist nicht Eustache de Saint-Pierre!

EIN ANDERER GEWÄHLTER BÜRGER *(zu anderen).*
Eustache de Saint-Pierre ist es noch nicht! 15

EIN ANDERER GEWÄHLTER BÜRGER *(zu Jean de Vienne).*
Er stieg vor den Brüdern Jacques de Wissant und Pierre
de Wissant aus den Reihen!

EIN ANDERER GEWÄHLTER BÜRGER *(zu Jean de Vienne).*
Er ist der Älteste unter ihnen! 20

JEAN DE VIENNE *(sehr lebhaft).*
Ist er nicht gebrechlich vor ihnen – vor Eustache de
Saint-Pierre? Schlürfen seine Schritte nicht müde durch
die Straße – führte ihn sein Gang nicht am Hause Eustache de Saint-Pierres vorüber? Schreitet einer mühselig 25
wie dieser – überholte ihn nicht der letzte, der gleichen
Weg mit ihm geht?

EIN ANDERER GEWÄHLTER BÜRGER *(zu anderen).*
Eustache de Saint-Pierre ist noch nicht aufgebrochen!

VIELE GEWÄHLTE BÜRGER *(untereinander).* 30
Eustache de Saint-Pierre ist noch nicht aufgebrochen!
(Diese Stimmen mischen sich mit dem Murmeln, das von
links nach rechts kreist: – Der Vierte!
Der Vierte Bürger kommt an und versammelt sich – rasch
überzählend – den anderen in der Mitte. 35
Bei dem Geräusche, das die anhaltende Bewegung unter

den Gewählten Bürgern verursacht, kleidet ihn ein Gewähl-
ter Bürger ein.)

EIN GEWÄHLTER BÜRGER *(fast laut zu Jean de Vienne).*

Dieser kam als vierter in der offenen Halle herunter!

5 JEAN DE VIENNE *(stammelnd).*

Sind vier versammelt? – Ist Eustache de Saint-Pierre
nicht unter ihnen?

EIN ANDERER GEWÄHLTER BÜRGER.

Eustache de Saint-Pierre fehlt noch bei ihnen!

10 JEAN DE VIENNE.

Eustache de Saint-Pierre fehlt noch – –

EIN ANDERER GEWÄHLTER BÜRGER.

Zwei fehlen noch an sechs!

MEHRERE GEWÄHLTE BÜRGER *(dicht vor Jean de Vienne).*

15 Zwei fehlen noch zu sechs!

EIN ANDERER GEWÄHLTER BÜRGER *(zuversichtlich).*

Einer von ihnen wird Eustache de Pierre sein!

EIN ANDERER GEWÄHLTER BÜRGER.

Eustache de Saint-Pierre will der letzte sein!

20 EIN ANDERER GEWÄHLTER BÜRGER.

Jean de Vienne, er will den Schlüssel von dir nehmen:
darum spart er mit seinen Kräften und will hier nicht
lange stehen und mit den anderen noch warten!

JEAN DE VIENNE *(aufgebracht).*

25 Rechnet ihr denn dunkel? Blendet nicht auf euren Augen dieser fahle Strahl? – Wer ist noch übrig? Denkt aus
– denkt aus! – Wo greift ihr dies Irrsal an – wie entwirrt
ihr dies Knäuel? Strickt es sich nicht enger – vergarnt es
sich nicht wie ein Filz? Knotet daran – knotet daran! – –

30 Wer soll nun ankommen? – Lockt ihr Eustache de Saint-
Pierre? Stellt er sich zu diesen und ist der fünfte? – Der
fünfte, der den Kreis erschüttert – der fünfte, der den
Ring zersprengt – der fünfte, der – – – *(Abbrechend, noch
erregter.)* Brechen Jacques de Wissant und Pierre de Wis-

35 sant nicht von demselben Hause auf? Sind sie nicht Brüder? Langen sie nicht zusammen an? – Stehen nicht sie-

ben hier? Ist der Ausgang nicht wie der Anfang – ein
Anfang ohne Ende? – *(Stärker, stärker.)* Soll ich alle wieder schicken, um das Spiel zu wiederholen – um ihren
furchtbaren Gang noch einmal zu tun? Sollen wir ihre
Leiber foltern – mit dem Wechsel und Wechsel der Klei-   5
der? Sollen wir ihre Sohlen stacheln – jetzt warm – nun
bloß? Sollen wir die Schlinge mal nach mal strängen und
lockern? – – Treibt nicht die Frist hin – lauert nicht
schon der Henker? Schwillt nicht das Licht – spätet sich
nicht der Morgen? Versäumen wir nicht die Rettung?   10
– – *(Stockend.)* Und zögert Eustache de Saint-Pierre und
kommt nach allen an – der siebente! Eustache de Saint-
Pierre, der alle anrief – der um alle warb! – der sich vor
allen vermaß – kommt nicht. – – *(Die Arme über sich
werfend.)* Denkt nicht aus – denkt nicht aus – ihr zer-   15
brecht daran – an diesem und jenem –: verbietet es euch
noch – in eurem Blut – in eurem Kopf – – *(Andere mit
sich nach hinten ziehend.)* Wir wollen nicht sinnen – wir
sollen nicht suchen – wir sollen nicht lauschen nach einem müden Schritt – und nach einem doppelten – wir   20
müssen stehen und sehen!
(Von neuem tritt lautlose Stille ein.
Harter doppelstarker Gangklang von rechts.
Kein Flüstern und Hinzeigen entsteht.
Jacques de Wissant und Pierre de Wissant einander in enger 25
Umschlingung verbunden kommen an. In der Mitte halten
sie ein – zählen. Dann küssen sie sich und stellen sich an die
Ecken rechts und links.)
ZWEI GEWÄHLTE BÜRGER
(dienen an ihnen.   30
Das Licht trifft tiefer auf das Giebelfeld und enthüllt – noch
unscharf – eine obere Figurengruppe.
Das Bürgervolk ist aus den Gassen nachgedrungen und ver-
schließt sie. Langsam und unaufhaltsam schiebt es sich von
den Seiten vorwärts und verengt um die Mitte – flutet die   35
Stufen auf und vereinigt sich.

*Ein dunkles Murmeln – befriedigt und bestimmend – tönt
davon: – Sechs!).*

JEAN DE VIENNE *(aus maßlosem Erstaunen).*

Ist Eustache de Saint-Pierre taub? Mit seinen Ohren vor
der schrillen Glocke? Mit seinen Gliedern lahm, die
nicht bebten – von harten Schritten vor seiner Tür? Erschütterte sich nicht die Stadt von diesem Gehen in ihren Straßen? Springt nicht unser Blut – dröhnt nicht unser Kopf? Klopft und saust die Luft nicht um uns – halten wir uns nicht mit Mühe aufrecht? Stapft nicht jeder
Schritt durch uns hin und reißt uns mit – sechsmal hin
und her – sechsmal tausend Schritte auf und ab? – Ren-
nen wir nicht den Wettlauf seit gestern – und rasten
nicht – und hetzen die Jagd – mit Fleiß und Schweiß –
und kommen an – von den letzten Winkeln – von den
Enden die letzten – vor der Zeit – mit der Zeit – jeder
früh – jeder in jedem bereit – jeder mit jedem entblößt
– alle im Aufbruch – –: Eustache de Saint-Pierre kommt
nicht?!

EIN GEWÄHLTER BÜRGER *(schreiend).*

Eustache de Saint-Pierre kommt nicht!

ANDERE GEWÄHLTE BÜRGER *(ebenso).*

Eustache de Saint-Pierre kommt nicht!

(Der Schrei hallt hin.

*Um den Markt wird mit stärkerer Entgegnung lauter – von
den Stufen zeigen die Arme zur Mitte –: Sechs!
Neue Stille.)*

EIN GEWÄHLTER BÜRGER *(außer sich).*

Eustache de Saint-Pierre hat den äußersten Betrug gespielt! – *(Überstürzt.)* Rief nicht einer von diesen in der
Halle – und zielte nach dem übermächtigen Reichtum,
um den Eustache de Saint-Pierre sich sorgt! – Wer hat
Speicher wie seine über dem Hafen? Wer seine Güter
hoch unter Firsten? Wer seine Frachten in vielen Last-
schiffen? – Lästerte der in der Halle – schalt er dreist? –
Dieser schmähte schwach – dieser mäßigte sich milde!

Was kannte er von List und List, mit der Eustache de
Saint-Pierre dem Wurf auswich, der ihn zerschmettert?
– Trat er nicht auf und stellte sich hin – zuerst und bereit
für Calais? Wußte er nicht – was nützt einer? Sechs sind
nötig – und wo sechs sich wagen, da übertreffen viele
noch die Zahl! Sieben standen beisammen – einer zuviel!
Wie glitt sein Witz aus der Gefahr – wie zog er aus diesem kleinsten Überfluß seinen Vorteil? – Wer vergißt
noch die Geschichte des langen Tages gestern? Wie hielt
er alle bis an den Nachmittag hin? Und wie versäumte
er wieder die Entscheidung, die ihn bestimmen konnte
zu sechs? – Täuschte er nicht dreist mit den Kugeln –
und log plump mit den Losen? Vermied er die Wahl
nicht und schickte alle aus dem Saal – und verwies sie
auf den Morgen – und dieses Morgens Gang, mit dem er
sich von ihnen schied – und vor dem Strang bewahrte –
mit einem Witz? – – Er verschließt sich in seinem Hause
– und ist frei! – – Sind wir blind – dumm mit unserem
Denken – durchschaute ein Kind nicht den Schwindel
und lallt die feile Lösung? – – Jetzt sitzt Eustache de
Saint-Pierre hinter seiner festen Tür und biegt die Schultern auf den Tisch und verlacht uns – die blöde glaubten
und wie schielende Schafe folgten!
*(Von den Seiten und von den Stufen steigert sich der Lärm
und schwillt zu kreischendem Schrei an: – Sechs!)*

EIN ANDERER GEWÄHLTER BÜRGER *(nach rechts vorne laufend).*
Stockt euch nicht der Hauch im Halse – füllt euch nicht
Blut bis in den Mund – erstickt euch nicht die Scham? –
Seid ihr Schwindler, die mit falschem Gelde kaufen – die
mit blechernen Münzen klirren und auf dem Handel
bestehen? Schüttelt ihr nicht den Betrug von euren Fingern und stampft ihn mit euren Füßen zum Kot? – Wartet ihr hier auf den Aufbruch – fordert ihr die Schändung? – Ist eins und jenes gleich bei euch – gilt der
Verrat nichts mehr? – Ekelt euch nicht eure Zunge, die

schreit – brennt nicht euer Gaumen, der hallt? – Sättigt
ihr euch mit der Kost, die ihr stehlt – verschlingt ihr
Kraut und Dung wie Würmer am Boden? – Seid ihr
nicht müde mit eurer Begierde – mit euren Knien von
der Hetzjagd in dieser Nacht durch Straßen und Gassen? Werdet ihr jetzt erst lüstern nach einem Spiel? Es
ist euch verheißen – es ist vorbereitet auf das letzte –:
nun sucht über den Markt – nun späht nach dem aus,
der es erfand – ihr entdeckt ihn nicht – bei keinem Licht
– bei keinem Dunkel! – Jetzt späht und sucht, wo euer
Recht ist, mit dem ihr nach der Erfüllung schreit!
(Ringsum hebt es an, ballt sich und löst sich schrill: – Schickt
sechs hinaus!!)

EIN ANDERER GEWÄHLTER BÜRGER *(nach vorne laufend).*

Ich will nicht Bürger in Calais sein, das aus diesem Betrug aufgebaut ist! – Ich will nicht als Hehler hinter seinen Mauern sitzen – ich will nicht scheu in den Straßen
schleichen! Ich will nicht Wucher mit diesem Verrat treiben – ich halte meine Hände hoch von diesen Malen, die
sie zeichnen – ich dulde nicht diesen Makel auf meinem
Leibe! – *(Er steht mit starr gereckten Armen da.)*

EIN ANDERER GEWÄHLTER BÜRGER *(zu diesem laufend, sei-*
nen Arm anfassend und zur Tiefe aufrufend).

Wer fordert die Schändung der sechs? Wer lädt einem
von diesen den Schlüssel auf? Wer stößt vor ihnen das
Tor auf? Wer überliefert sie an diesem Morgen? –
(Stark.) Wer steht unter uns hier, der teil an diesem Be-
truge hat?
(Bei den Gewählten Bürgern entsteht eine unruhige Bewe-
gung: einige sind auf dem Wege nach vorn – andere zögern
hinten.
Drohend und stärker von den Seiten: – Schickt sechs hin-
aus!)

EIN ANDERER GEWÄHLTER BÜRGER *(laut).*

Calais fällt nicht –!! *(In die verminderte Unruhe, eilig.)*
Wir sind nicht heute am Ende unserer Kräfte – nicht

morgen! – Wir leiden keinen Hunger – es mangelt uns
nichts! – Unsere Leiber tragen keine Wunden – wir blu-
ten kräftig in unseren Adern – unsere Schultern sind fest
– unsere Hände greifen hart um Lanzen – Schwert! –
Wir stehen hinter den Mauern – wir füllen die Straßen
– die Fahne Frankreichs flammt über der Stadt – der
Hauptmann von Frankreich lenkt uns – – vor dem
Hauptmann von Frankreich – – *(Er stockt. Tiefe Stille.)*

EIN ANDERER GEWÄHLTER BÜRGER *(ausbrechend).*

Duguesclins ist aus der Stadt!!

EIN ANDERER GEWÄHLTER BÜRGER.

Eustache de Saint-Pierre hat den Hauptmann aus der
Stadt geschickt!

EIN ANDERER GEWÄHLTER BÜRGER.

Eustache de Saint-Pierre hat uns alle verraten!

EIN ANDERER GEWÄHLTER BÜRGER.

Eustache de Saint-Pierre verbietet die Rettung der Stadt!

EIN ANDERER GEWÄHLTER BÜRGER.

Eustache de Saint-Pierre hat von allem Anfang an den
Verrat gesucht!!

*(Um den Markt erhebt sich von neuem das Geschrei: Schickt
sechs hinaus!!)*

EIN GEWÄHLTER BÜRGER *(die Arme über sich schwingend).*

Wir holen Eustache de Saint-Pierre aus seinem Hause!

EIN ANDERER GEWÄHLTER BÜRGER.

Wir zerren Eustache de Saint-Pierre von seinem Tisch!

EIN ANDERER GEWÄHLTER BÜRGER.

Wir stoßen Eustache de Saint-Pierre vor uns auf den
Markt!

*(Eine erste Gruppe der Gewählten Bürger stürmt nach
rechts hin und wird von der dichten Menge aufgehalten.)*

EIN GEWÄHLTER BÜRGER *(nach vorne).*

Eustache de Saint-Pierre soll allein büßen!

EIN ANDERER GEWÄHLTER BÜRGER.

Wir binden Eustache de Saint-Pierre den Schlüssel auf
den Rücken!

EIN ANDERER GEWÄHLTER BÜRGER.

Eustache de Saint-Pierre soll den Schlüssel auf seinen
Knien hinausschleppen!

(Ein neuer Trupp drängt nach rechts hinten.)

5 EIN GEWÄHLTER BÜRGER *(vorne)*.

Eustache de Saint-Pierre soll auf dem offenen Markte
geschändet werden!

EIN ANDERER GEWÄHLTER BÜRGER.

Wir richten vor diesen Eustache de Saint-Pierre!

10 EIN ANDERER GEWÄHLTER BÜRGER *(aufreizend)*.

Sucht Eustache de Saint-Pierre!

VIELE GEWÄHLTE BÜRGER.

Sucht Eustache de Saint-Pierre!!

(Rechts hinten dauert der Widerstand: jetzt gibt die Menge
15 *dem wuchtigen Sturme nach, die Gewählten Bürger dringen*
in die Gasse. Der Ruf schallt scharf: Eustache de Saint-
Pierre!!)

JEAN DE VIENNE *(steht allein – müde, erschüttert.*

Von den Seiten drängt das Bürgervolk nach ihm – johlend:
20 *Schicke sechs hinaus!!*

In der Gasse bricht der Lärm ab – langsam flutet die Schar
der Gewählten Bürger zurück – einander betroffen Zeichen
gebend. Um den Markt legt sich der Aufruhr – die Vorge-
drungenen weichen auf die Seiten).

25 JEAN DE VIENNE *(tritt hastig fragend zu den Gewählten Bür-*
gern.

Diese bedeuten ihn gegen die Tiefe der Gasse; sie stehen
stumm wartend – mit dem Bürgervolk der rechten Seite die
Gasse fast bis in die Mitte des Marktes verlängernd.

30 *Hall langsamsten Schreitens nähert sich: – die beiden erdge-*
bundenen Krüppel tragen eine Bahre, schwarz überhängt.
In kleinem Abstande folgt der Vater Eustache de Saint-
Pierres – hagerer überalter Greis, kahlhäuptig; ein dünner
Bart zittert um das Gesicht, das er aufwärts richtet nach
35 *Blinder Art – ganz das Gefühl in das Tasten der Hände ver-*
sammelt. Ein schlanker Knabe führt ihn um die Hüfte.

Die Krüppel stellen in der Mitte die Bahre auf den Boden.
Die Gewählten Bürger umdrängen dicht die Sechs).

DER VATER DES EUSTACHE DE SAINT-PIERRE *(aus seinem un-*
aufhörlich geheim redenden Munde Worte formend).

Ich bin ein Becher – der überfließt – – *(Von dem Knaben*
vor die Sechs geleitet.) Stehen sie beisammen? – *(Er streift*
des ersten Gewand und Seil.) Grobes Kleid und glatter
Strick – einer! *(Vor dem nächsten ebenso.)* Rauh und gerüstet – du! *(Weiter.)* Du verschlossen in grober Haft –!
(Fortschreitend.) Du wie diese vorbereitet –! *(Zu den bei-*
den übrigen.) Mehr – mehr – bei dir – der letzte! *(Kopf-*
nickend.) Sechs, sagte er, sind übrig – sie warten auf dem
Markt – die Stunde ihres Aufbruchs ist da – schaffe mich
zu ihnen auf den Markt. Sie müssen sich eilen, wenn sie
mir folgen wollen – ich bin vorausgegangen! – *(Er wen-*
det sich um, sucht das Tuch über der Bahre und streift es zur
Seite.) Mein Sohn! *(Die Gewählten Bürger beugen sich*
über; von einigen hervorgestoßen: Eustache de Saint-
Pierre!)

DER VATER EUSTACHE DE SAINT-PIERRES *(ohne dessen zu*
achten).

Mein Mund ist gefüllt – es fließt von ihm aus – – Meine
Rede ist geschwunden – verdrängt von der Ausgießung
dieser Nacht. Ich bin die Schelle, von einem Klöppel
geschlagen. Ich bin der Baum, ein anderer das Sausen.
Ich liege hingestreckt – der hier liegt, steht auf meinen
Schultern und über euren Schultern übereinander! –
(An die Sechs gekehrt.) Trifft euch die Stimme aus sol-
cher Höhe – rieselt ihr heißer Druck an euren Lei-
bern – bloß in den Kutten? Raffen sich eure haften-
den Sohlen vom steinigen Boden und fliehen durch die
Öse eurer Schlingen aufwärts? – Fühlt ihr noch Pein –
und Dorn und Spitze einer Folter? – Er bog sie stumpf
– er heilte die Verletzung in eurem Fleisch vor dem
Stich!

(Die Sechs stehen allein nahe der Bahre.)

DER VATER EUSTACHE DE SAINT-PIERRES.

Ihr steht nahe bei ihm – er ist entrückt – und dicht wie
keiner unter euch. Ihr seid, wo er rastet – euch winkt er
mit lockendem Finger. Ist es nicht leicht zu gehen, wo-
5 hin einer anruft? Blühen nicht die Ufer von einer Verheißung? Er jauchzt sie aus – er zieht den letzten von
euch in den Kahn. Sechs Ruder schaufeln – gerade furcht
die Bahn: – das Ziel lenkt genauer als das Steuer. Nun
wartet er auf euch – ihr kommt später an! – Er ist euch
10 vorausgeschritten – wer dreht das Gesicht noch zurück?
Wem schaut ihr nach – wer geht von euch – und nimmt
die Helle mit sich – und überläßt die andern dem Dunkel? Wer streift das Licht von eurer Tat – und macht sie
finster um euch? – Ihr tut sie verhüllt und dumpf! – – –
15 Hielt er euch nicht wach vor dieser Tat, um würdig zu
sein? Scheuchte er nicht den Schlaf von euren Lidern
mit Mühe und Mühe? Erfand er nicht Mittel und Mittel,
mit dem er euch dicht und dicht schob? Hielt er euch
nicht bis diesen Morgen hin? Ließ er euch einmal dem
20 trägen Schlummer verfallen? Entzog er euch die kleinste
Frist? Wachte er nicht über euch? Steht ihr jetzt nicht
reif hier und seht mit klaren Augen eure Tat an? – – –
(Er atmet tief.) Nun stieß er das letzte Tor vor euch auf.
Nun hat er den Schatten von Grauen gelichtet, ihr wallt
25 hindurch – stutzig mit keinem Schritt – tastend mit keinem Fuß. Mit reiner Flamme brennt um euch eure Tat.
Kein Rauch verdüstert – keine Glut schwelt. Ihr dringt
vor – hell umleuchtet und kühl bestrahlt. Fieber hetzt
euch nicht, Frost lähmt euch nicht. Ihr schüttelt frei eure
30 Glieder in euren Gewändern. Der Abschied trennt euch
nicht: – wer scheidet sich von euch? Ist eure Zahl nicht
rund und vollkommen eine Kugel, die ein Anfang ist
und ein Ende ohne Unterscheidung? Wer ist der erste –
wer der siebente – wo peinigt Ungeduld – wo stachelt
35 Ungewißheit? – – Er schmolz sie zur runden Glätte –
jetzt seid ihr eins und eng ohne Mal und Marke! – –

(Einen Arm hoch gegen sie erhebend.) Sucht eure Tat – die
Tat sucht euch: ihr seid berufen! – Das Tor ist offen –
nun rollt die Woge eurer Tat hinaus. Trägt sie euch –
tragt ihr sie? Wer schreit mit seinem Namen – wer rafft
den Ruhm an sich? Wer ist Täter dieser neuen Tat?   5
Häuft ihr das Lob auf euch – wühlt diese Begierde in
euch? – – Die neue Tat kennt euch nicht! – Die rollende
Woge eurer Tat verschüttet euch. Wer seid ihr noch? Wo
gleitet ihr mit euren Armen – Händen? – – Die Welle
hebt sich auf – von euch gestützt – auf euch gewölbt.   10
Wer wirft sich über sie hinaus – und zerstört das glatte
Rund? Wer verwüstet das Werk? Wer schleudert sich
höher und wütet am Ganzen? Wer scheidet Glied von
Glied und stört in die Vollendung? Wer erschüttert das
Werk, das auf allen liegt? Ist euer Finger mehr als die   15
Hand, euer Schenkel mehr als der Leib? – Der Leib
sucht den Dienst aller Glieder – eines Leibes Hände
schaffen euer Werk. Durch euch rollt euer Werk – ihr
seid Straße und Wanderer auf der Straße. Eins und keins
– im größten die kleinsten – im kleinsten die wichtig-   20
sten. Teil mit eurer Schwäche an jedem – stark und
mächtig im Schwung der Vereinigung! – *(Seine Worte
hallen über den Markt hin. Seherisch belebt.)* Schreitet hinaus – in das Licht – aus dieser Nacht. Die hohe Helle ist
angebrochen – das Dunkel ist verstreut. Von allem Tie-   25
fen schießt das siebenmal silberne Leuchten – der unge-
heure Tag der Tage ist draußen! – *(Eine Hand über die
Bahre streckend.)* Er kündigte von ihm – und pries von
ihm – und harrte mit frohem Übermute der Glocke,
die zu einem Fest schwang – – dann hob er den Becher 30
mit seinen sicheren Händen vom Tisch und trank an
ruhigen Lippen den Saft, der ihn verbrannte. – – – *(Er
zieht den Knaben dichter zu sich.)* Ich komme aus dieser
Nacht – und gehe in keine Nacht mehr. Meine Augen
sind offen – ich schließe sie nicht mehr. Meine blinden 35
Augen sind gut, um es nicht mehr zu verlieren: – ich

habe den neuen Menschen gesehen – in dieser Nacht ist
er geboren! – – Was ist es noch schwer – hinzugehen?
Braust nicht schon neben mir der stoßende Strom der
Ankommenden? Wogt nicht Gewühl, das wirkt – bei
mir – über mich hinaus – wo ist ein Ende? Ins schaf-
fende Gleiten bin ich gesetzt – lebe ich – schreite ich von
heute und morgen – unermüdlich in allen – unvergäng-
lich in allen – – – *(Er wendet sich um, der Knabe führt ihn
behutsam nach rechts, die Schritte hallen lange in der
Gasse.)*

*(Zwei Gewählte Bürger treten zu Jean de Vienne, der sich
vor den anderen der Bahre genähert hatte. Einer legt ihm
die Hand auf die Schulter; der andere zeigt hin, wie das
wachsende Licht nun fast die ganze Kirchentür erhellt.)*

JEAN DE VIENNE *(sieht fragend nach ihnen auf – dann rafft er
sich auf, weist auf Eustache de Saint-Pierres Leiche).*
Einer schritt vor euch hinaus – fällt es schwer auf einen
von euch ihm zu folgen? – *(Stärker.)* Schwankt einer von
euch – wenn ich die Last des Schlüssels auf seine Hände
lege?

(Die Sechs strecken die Arme nach ihm aus.)

JEAN DE VIENNE *(dem Nächsten den Schlüssel übergebend).*
Wer von euch ist der erste – der letzte? Wer unterschei-
det zwischen euch? Eines Leibes Hände greifen – tragen! – Der Morgen ist hell – nun schicken wir sechs hinaus – der siebente liegt hier: – wir stehen bei diesem aus
eurer Schar – wie unter euch an eurem Ziel! – vor diesem
geduldig und still! – *(Er streift das Tuch ganz von der
Bahre.)*

*(In der lautlosen Stille um den Markt brechen die sechs auf
– leise klatschen die nackten Sohlen auf den Steinen.
Die Gasse links hat sich vor ihnen weit geöffnet; aus ihr nä-
hern sich schnell klirrende Schritte.)*

DER ENGLISCHE OFFIZIER *(prunkend gerüstet, von einem Soldaten gefolgt – tritt den Sechs entgegen und hebt seinen
Arm auf).*

Jean de Vienne – der König von England schickt an diesem Morgen!

JEAN DE VIENNE *(ihm zurufend).*

Die Frist ist nicht versäumt: mit dem frühen Morgen sollen sechs aus den Gewählten Bürgern von der Stadt aufbrechen und sich im Sande vor Calais überliefern. Wir stehen am frühen Morgen hier!

DER ENGLISCHE OFFIZIER *(zu den Sechs).*

Verzögert den Aufbruch! – *(Zu Jean de Vienne tretend.)* Der König von England schickt an diesem Morgen diese Botschaft in die Stadt Calais: – in dieser Nacht ist dem König von England im Lager vor Calais ein Sohn geboren. Der König von England will an diesem Morgen um des neuen Lebens willen kein Leben vernichten. Calais und sein Hafen sind ohne Buße von der Zerstörung gerettet! *(Tiefes Schweigen herrscht.)*

DER ENGLISCHE OFFIZIER.

Der König von England will an diesem Morgen in einer Kirche danken. Jean de Vienne – öffne die Türen – die Glocken sollen läuten vor dem König von England! *(Aus der Gasse links dringt ein Strom englischer Soldaten – prächtig gepanzert, an den Lanzen Fahnenstreifen; sie bilden rasch eine Gasse, die über den Markt die Stufen auf nach der Kirchentür mündet.)*

JEAN DE VIENNE *(richtet sich auf. Sein Blick schweift nach den Sechs, die inmitten der Gasse sich ihm genähert haben).*

Hebt diesen auf und stellt ihn innen auf die höchste Stufe nieder: – der König von England soll – wenn er vor dem Altar betet – vor seinem Überwinder knien! *(Die Sechs heben die Bahre auf und tragen Eustache de Saint-Pierre auf ihren steil gestreckten Armen – hoch über den Lanzen – über die Stufen in die weite Pforte, aus der Tuben dröhnen. Glocken rauschen ohne Pause aus der Luft. Das Bürgervolk steht stumm. Aus der Nähe scharfe Trompeten.)*

DER ENGLISCHE OFFIZIER.

Der König von England!

JEAN DE VIENNE UND DIE GEWÄHLTEN BÜRGER *(stehen erwartend).*

5 *(Das Licht flutet auf dem Giebelfeld über der Tür: in seinem unteren Teil stellt sich eine Niederlegung dar; der schmale Körper des Gerichteten liegt schlaff auf den Tüchern – sechs stehen gebeugt an seinem Lager. – Der obere Teil zeigt die Erhebung des Getöteten: er steht frei und beschwerdelos in*
10 *der Luft – die Köpfe von sechs sind mit erstaunter Drehung nach ihm gewendet.)*

Anhang

Editorische Notiz

Georg Kaisers Drama *Die Bürger von Calais* liegt in vier verschiedenen Fassungen vor. Die erste Handschrift aus den Jahren 1912/1913 wurde 1958 von Walther Huder ediert (s. Literaturhinweise). In seinem Nachwort (ebd., S. 72–80) verzeichnet er die wesentlichen Abweichungen von der späteren Druckfassung von 1914; neben Unterschieden in der Orthographie und Interpunktion fehlt in der Urfassung vor allem die Figur des Jean d'Aire, der darin als Zweiter Bürger auftritt. Für die zweite Fassung, die der Erstausgabe, liegt keine Handschrift vor, während die dritte und vierte Fassung, die beide 1923 entstanden sind, wiederum handschriftlich überliefert sind. Die vierte Fassung wurde als »Fassung letzter Hand« im Rahmen der Auswahlausgabe von 1966 und der Werkausgabe von 1971 ebenfalls von Walther Huder erstmals veröffentlicht.

Der Text der vorliegenden Ausgabe folgt der ersten Buchausgabe:

Die Bürger von Calais. Bühnenspiel von Georg Kaiser. Berlin: S. Fischer Verlag, 1914.

Entgegen der Vorlage wurden die Regieanweisungen eingeklammert und durchgehend mit einem abschließenden Punkt ergänzt. Folgende Druckversehen bzw. Schreibweisen wurden verbessert:

26,23 f.	mit Lachen und Singen] mit lachen und singen
44,30	Waage] Wage
46,18	Vierte] Virete
47,34	In bezug] Inbezug
48,14	ohne Halten und Hemmen] ohne halten und hemmen

Anmerkungen

6,1 f. [Widmung] *Dante Anselms Mutter:* Dante Anselm hieß Georg Kaisers erster Sohn (1914–71). 1918 folgte Michael Laurent, 1919 Eva Sibylle. Dante Anselms Mutter ist die wohlhabende Magdeburger Kaufmannstochter Margarethe Habenicht (1888–1970), die Kaiser am 4. Oktober 1908 geheiratet hatte. Ihre Mitgift erlaubte ein Leben in anspruchsvollem Rahmen, das er seiner dichterischen Begabung schuldig zu sein glaubte und fortan immer zu führen versuchte.

7,2 f. [Vorspruch] *nur vier sind verzeichnet:* Die mittelalterliche Chronik Jean Froissarts, auf die Kaiser zurückgriff, verzeichnet tatsächlich nur vier Namen. In einer anderen, Kaiser offenbar unbekannten Version der Geschichte in Jean le Bels Chronik (1360) werden auch die beiden fehlenden Namen genannt, Jean de Fiennes und André d'Ardes.

7,7 *ad aeternam memoriam:* (lat.) zu ewigem Gedenken.

Personen

Jean der Vienne: In der altfrz. Vorlage heißt er Jehans de Viane und ist Befehlshaber von Calais.

Duguesclins: Ein Hauptmann mit diesem Namen wird in der unmittelbaren Quelle des Ereignisses, der Chronik Jean Froissarts, nicht genannt. Kaisers Vorbild für diese Figur ist Bertrand Duguesclin bzw. du Guesclin (1320–80), der durchaus an den Geschehnissen bei Calais beteiligt gewesen sein könnte. Geboren in der Nähe von Dinan, kämpfte er in der Bretagne und war ein gefürchteter Gegner der Engländer – er allein sei eine ganze Armee wert, hieß es. 1361 trat er in die Dienste des späteren Königs Karl V., der ihn nach zahlreichen militärischen Erfolgen 1370 zum Connetable (Reichsfeldherr) von Frankreich ernannte. Im Laufe von zehn Jahren nahm Duguesclin den Engländern fast alle ihre Besitzungen in Frankreich ab. Die Heldenlieder seiner Zeit nennen ihn die »Blume der Ritterschaft«.

Königs von Frankreich: König Philipp VI. von Valois (1293–1350) regierte 1328–50.

Eustache de Saint-Pierre: In der altfrz. Vorlage heißt er Ustasse de
  Saint-Pierre und ist der reichste Bürger der Stadt.
Jean d'Aire: In der altfrz. Vorlage heißt er Jehans d'Aire und hat
  zwei schöne Töchter.
Jacques de Wissant / Pierre de Wissant: In der altfrz. Vorlage hei-
  ßen sie Jakèmes und Pières de Wissant.

Erster Akt

15,3 f. *König von England:* König Eduard III. (1312–77) regierte
  von 1327 bis 1377.
15,24 *Witz:* hier und im Folgenden im Sinne von Verstand, Klugheit, Einfallsreichtum, auch Esprit.

Zweiter Akt

60,24 *Blänkte:* von »blänken« i. S. von »blank sein«.
65,27 *Sorgt ihr doch um den Morgen?:* vgl. Mt. 6,34: »Darum sor-
  get nicht für den andern Morgen; denn der morgende Tag wird
  für das Seine sorgen«.

Dritter Akt

86,12 *Sohn:* Tatsächlich gebar die zur Zeit des Ereignisses hoch-
  schwangere Königin Philippa von England später in Calais eine
  Tochter mit Namen Margarete. Kaiser lässt sie hier einen Sohn
  zur Welt bringen, um die christlichen, heilsgeschichtlichen Be-
  züge deutlicher hervortreten zu lassen.

Literaturhinweise

Ausgaben

Die Bürger von Calais. Bühnenspiel von Georg Kaiser. Berlin: S. Fischer Verlag, 1914. – 2. und 3. Aufl. Ebd. 1917.

Die Bürger von Calais. Bühnenspiel in 3 Akten. Potsdam: Kiepenheuer, 1920. – 11.–13. Tsd.: Ebd. 1929. – 17. Tsd.: Ebd. 1932.

Die Bürger von Calais. Bühnenspiel in 3 Akten. In: Georg Kaiser: Gesammelte Werke. Bd. 3. Berlin: Kiepenheuer, 1931. S. 7–112.

Die Bürger von Calais. Bühnenspiel in 3 Akten. Mit einem Gedenkwort von Artur Müller. Mannheim: Kessler, 1952.

Die Bürger von Calais. Mit einer Einführung hrsg. von Walter Urbanek. Bamberg: Bayerische Verlagsanstalt, 1953 [u. ö.]. – Neuausg.: Bamberg: Buchner, 2002.

Die Bürger von Calais. Bühnenspiel in drei Akten. Urfassung. Hrsg. und mit einem Nachw. vers. von Walther Huder. Stuttgart: Reclam, 1958. (Universal-Bibliothek. 8223.)

Die Bürger von Calais. Bühnenspiel in drei Akten. In: Georg Kaiser: Stücke, Erzählungen, Aufsätze, Gedichte. Hrsg. von Walther Huder. Köln/Berlin: Kiepenheuer & Witsch, 1966. S. 107–170.

Die Bürger von Calais. Bühnenspiel in drei Akten. In: Georg Kaiser: Werke. Hrsg. von Walther Huder. Bd. 1: Stücke 1895–1917. Frankfurt a. M. / Berlin / Wien: Propyläen, 1971. S. 519–579.

Forschungsliteratur

Arnold, Armin: Georg Kaiser. In: Expressionismus als Literatur. Gesammelte Studien. Hrsg. von Wolfgang Rothe. Bern/München 1969. S. 474–489.

Behrsing, Kurt: Sprache und Aussage in der Dramatik Georg Kaisers. Phil. Diss. Zürich/München 1958. [Zu *Die Bürger von Calais* S. 65–75.]

Benson, Renate: Deutsches expressionistisches Theater. Ernst Toller und Georg Kaiser. New York / Bern / Frankfurt a. M. / Paris 1987. [Zu *Die Bürger von Calais* S. 179–192.]

Denkler, Horst: Georg Kaiser *Die Bürger von Calais*. Drama und Dramaturgie. Interpretation. München 1967.

Diebold, Bernhard: Der Denkspieler Georg Kaiser. Frankfurt a. M. 1924.

Durzak, Manfred: Das expressionistische Drama. Carl Sternheim – Georg Kaiser. München 1978. [Zu *Die Bürger von Calais* S. 139–152.]

Gruber, Maria Wera: Die Funktion der Bibelzitate in Georg Kaisers Drama *Die Bürger von Calais* im Kontext der wilhelminischen Rhetorik. Edmonton (Alberta) 1986.

Ihrig, Erwin: Die Bürger von Calais. Auguste Rodins Denkmal – Georg Kaisers Bühnenspiel. In: Wirkendes Wort 11 (1961) S. 290–303.

Knapp, Gerhard P.: Georg Kaisers expressionistische Bildinszenierungen: bloße DenkSpielerei oder VerSinnBildlichung der Dramensubstanz? Ein Beitrag zur BühnenBildlichkeit der frühen Moderne. In: Das Sprach-Bild als textuelle Interaktion. Hrsg. von Gerd Labroisse und Dick van Stekelenburg. Amsterdam 1999. (Amsterdamer Beiträge zur neueren Germanistik. 45.) S. 233–257.

Kuxdorf, Manfred: Die Suche nach dem Menschen im Drama Georg Kaisers. Bern / Frankfurt a. M. 1971. [Zu *Die Bürger von Calais* S. 127–132.]

– *Die Bürger von Calais*. In: Georg Kaiser. Hrsg. von Armin Arnold. Stuttgart 1980. S. 66–69.

Lämmert, Eberhard: Kaiser *Die Bürger von Calais*. In: Das deutsche Drama. Vom Barock bis zur Gegenwart. Interpretationen. Hrsg. von Benno von Wiese. Bd. 2. Düsseldorf 1958. S. 305–324.

Landauer, Gustav: Ein Weg deutschen Geistes. München 1916. [Zu *Die Bürger von Calais* S. 24–34.]

Last, Rex W.: Symbol and Struggle in Georg Kaiser's *Die Bürger von Calais*. In: German Life & Letters 19 (1965/66) S. 201–209.

– Kaiser's *Bürger von Calais* and the Drama of Expressionism. In: Periods in German Literature. Vol. II. Texts and Contents. Hrsg. von J. M. Ritchie. London 1969. S. 247–264.

Neis, Edgar: Erläuterungen zu Georg Kaiser *Die Bürger von Calais*. 4., erw. Aufl. Hollfeld 1987.

Paulsen, Wolfgang: Georg Kaiser. Die Perspektiven seines Werkes.

Mit einem Anhang: Das dichterische und essayistische Werk Georg Kaisers. Eine historisch-kritische Bibliographie. Tübingen 1960.

Pausch, Holger A. / Reinhold, Ernest (Hrsg.): Georg Kaiser. Eine Aufsatzsammlung nach einem Symposium in Edmonton/Kanada. Berlin 1980.

Rosenthal, Helmut: Die Bürger von Calais. Eine Studie zu dem Bühnenspiel Georg Kaisers. Hamburg 1922.

Rück, Herbert: Naturalistisches und expressionistisches Drama. Dargestellt an Gerhart Hauptmanns *Ratten* und an Georg Kaisers *Bürger von Calais*. In: Der Deutschunterricht 16 (1964) H. 3. S. 39–53.

Steffens, Wilhelm: Georg Kaiser. Velber 1969. [Zu *Die Bürger von Calais* S. 109–110, 128–139.]

Tunstall, George Charles: Stylistic Development in the Early Dramas of Georg Kaiser from *Rektor Kleist* to *Die Bürger von Calais*. Phil. Diss. Princeton 1968. [Zu *Die Bürger von Calais* S. 163–201.]

– Light Symbolism in Georg Kaisers *Die Bürger von Calais*. In: Journal of English and Germanic Philology 78 (1979) S. 178–192.

– Hebbel and Georg Kaiser. Reflections of *Judith* in *Die Bürger von Calais*. In: Colloquia Germanica 14 (1981) Nr. 2. S. 130–141.

Tyson, Peter K.: The Reception of Georg Kaiser (1915–45). Texts and Analysis. 2 Bde. New York / Bern / Frankfurt a. M. / Nancy 1984. [Zu *Die Bürger von Calais* S. 3–26, 623–639.]

Vietta, Silvio / Kemper, Hans-Georg: Expressionismus. München ³1985. [Zu *Die Bürger von Calais* S. 195–198.]

Viviani, Annalisa: Das Drama des Expressionismus. Kommentar zu einer Epoche. München 1970. [Zu *Die Bürger von Calais* S. 101–107.]

Walach, Dagmar: Georg Kaiser: *Die Bürger von Calais*. In: Dramen des 20. Jahrhunderts. Interpretationen. Hrsg. von Hans Weber. Bd. 1. Stuttgart 1996. S. 157–174.

Nachwort

Georg Kaiser hat in seinem 1914 erstmals veröffentlichten Schauspiel *Die Bürger von Calais* einen historischen Stoff aufgegriffen, aber kein historisches Drama geschrieben. »Daß historische Dramen alten Stils fast alle für uns unerträglich sind, liegt an der üblichen Stellung zum Begriff Geschichte überhaupt«, bemerkte der Schriftsteller Max Herrmann-Neiße 1919 und fügte hinzu, »das historische Drama neuen Stils müßte nur [...] noch entschiedener und unmittelbarer die Triebe und Motive der historischen Ereignisse herausdrängen, [...] und mit sicherem Instinkt das Stück Gott oder Teufel, das in jedem ›Welthistorischen Moment‹ steckt, zu rückhaltloser, direkter Offenbarung zwingen«.[1] Ähnliche Gedanken bewegten Georg Kaiser, er geht mit seinen Forderungen noch weiter, will, dass sich die Historie der »Intuition der Fabel und [der] Intuition des Worts« beuge.[2] »Dem Unfug von Natur und Historie steuern – das ist die Arbeit des Menschen. Die anderen verrichten sie nicht – so muß der Dichter eingreifen. Er tut es«.[3] Dabei tragen in seinen *Bürgern von Calais* nicht nur die Figuren Namen, die historisch überliefert sind. Auch sonst hat sich Kaiser durchaus bemüht, nahe an der ursprünglichen Gegebenheit zu bleiben. Zwar nennt er wie Jean Froissarts mittelalterliche Chronik, die er benutzt hat, nur vier Namen der Calaiser Bürger, obwohl es eine Fassung gibt, die alle sechs Namen kennt.[4] Aber dafür hat er Jean de Viennes beide Töchter ebenso von der Vorlage

1 Max Herrmann-Neiße, »Berliner Theater«, in: *Die Neue Schaubühne* 1, 1919, H. 3, S. 87–91, hier S. 87 f.
2 Georg Kaiser, »Historientreue [1923]«, in: G. K., *Werke*, hrsg. von Walther Huder, Bd. 4: *Filme, Romane, Erzählungen, Aufsätze, Gedichte*, Frankfurt a. M. / Berlin / Wien 1971, S. 576–579, hier S. 577.
3 Ebd., S. 579.
4 Jean Froissart, *Die Bürger von Calais*, übers. und hrsg. von Ulrich Friedrich Müller, Ebenhausen b. München 1958.

übernommen wie das Büßergewand und die Ausrüstung
der Calaiser Bürger. Vor allem hat er mit dem Hauptmann
Duguesclins eine Figur eingeführt, die zwar die Quelle
nicht nennt, die aber im weiteren Verlauf des Hundertjährigen Kriegs eine wichtige Rolle spielte und schon bei den
Ereignissen von Calais beteiligt gewesen sein könnte. Kaiser hat sich also durchaus mit der konkreten Geschichte
auseinander gesetzt.

Die Chronik Jean Froissarts erzählt eine Episode aus
der frühen Phase des Hundertjährigen Kriegs (1339–1453).
Calais steht nach einjähriger Belagerung durch Truppen
des englischen Königs Anfang August 1347 unmittelbar
vor dem Fall. Die Stadt und ihre Einwohner sollen, so der
König, geschont werden, wenn sich sechs Bürger bereit er-
klären, ihr Leben zu opfern. Die sechs finden sich, doch
bevor sie den Büßergang zur Hinrichtung antreten, werden sie begnadigt, weil sie das Mitleid der hochschwange-
ren englischen Königin erregt haben. Sie bittet bei ihrem
Mann mit Erfolg um das Leben der sechs Calaiser Bürger.
Die Stadt wird geräumt, aber nicht zerstört, ihre Bewoh-
ner allerdings müssen Calais verlassen, das nun von den
Engländern besiedelt wird.

Dieser Vorfall ist in Frankreich nie in Vergessenheit ge-
raten und wurde im Laufe der Jahrhunderte einige Male
literarisch verarbeitet. Unter dem Titel *Le siège de Calais*
schrieb Claudine Alexandrine Guérin de Tencin 1739 eine
Novelle, den gleichen Titel trägt ein sehr erfolgreiches
Drama von Pierre Laurent Buirette de Belloy, das 1765
aufgeführt und gedruckt wurde und noch im selben Jahr in
einer deutschen Übersetzung von Johann Joseph Eberlen
erschien (*Die Belagerung von Calais*). 1822 folgte ein »mé-
lodrame historique« von Philippe J. de La Roche mit dem
Titel *Eustache de Saint-Pierre, ou le siège de Calais*. Am
bekanntesten allerdings ist ein Denkmal, das die Stadt Calais 1885 bei dem Bildhauer Auguste Rodin (1840–1918) in
Auftrag gab und das zehn Jahre später in der Stadt aufge-

stellt wurde, obwohl die Auftraggeber zunächst nicht sehr
zufrieden mit der Ausführung waren: Ihnen erschien das
Ergebnis als zu wenig heroisch.

Diese Skulptur, deren Titel Georg Kaiser übernommen
hat, dürfte ihn auch zu seinem Drama inspiriert haben,[5]
möglicherweise noch vermittelt durch eine ausführliche
Beschreibung Rainer Maria Rilkes aus dem Jahr 1903.[6] An-
schließend hat Kaiser die Chronik von Jean Froissart
(1337 – nach 1404) gelesen. Abgesehen von einigen Abweichungen in Details hat er vor allem den Konflikt der
Vorlage stärker akzentuiert. Indem er einen wesentlichen
Punkt veränderte, schuf er eine zusätzliche Problematik,
die wie eine Versuchsanordnung aussieht. Wie bei Froissart melden sich in seinem Drama ausreichend Freiwillige,
bei ihm aber ist es sogar einer zu viel, sieben Bürger näm-
lich wollen sich opfern. Einer wird also verschont werden,
was gleichzeitig bedeutet, dass von Beginn an für alle die
Hoffnung besteht, am Ende mit dem Leben davonzukom-
men. In dieser Ausgangskonstellation erschöpft sich fast
schon der Inhalt des handlungsarmen Stücks. Eustache de
Saint-Pierre, der die anderen anfangs überzeugte, mit ihm
den Märtyrertod zu sterben, sorgt bis zum Schluss dafür,
dass die Frage der Selbstopferung offen bleibt. Erst mit
seinem eigenen Tod ist sie verbindlich beantwortet (um
dann doch noch anders entschieden zu werden). Auf
seinen Vorschlag hin wiederholen der zweite und der
dritte Akt in abgewandelter Form die im ersten Akt von
ihm verlangte Erklärung aller, zur Opferung bereit und
innerlich auf den Tod gefasst zu sein. Die sechs Bürger sollen auf diese Weise so geläutert werden, dass ihr Ent-
schluss, für die anderen zu sterben, nicht spontan, sondern
nach reiflicher Überlegung aus ihrer innersten Überzeu-

---

5 Alle Versuche, Gemeinsamkeiten zwischen Denkmal und Stück zu finden,
  die über das ihnen zugrunde liegende Ereignis hinausgehen, schlugen
  weitgehend fehl.
6 Rainer Maria Rilke, *Auguste Rodin*, Berlin [1903], S. 56–63.

gung heraus fällt. Ob dies letztlich gelungen ist, lässt das
Stück offen.

Die Regeln der beiden »Spiele« im Stück, die sich Eustache de Saint-Pierre für die Läuterung ausgedacht hat, werden von ihm jeweils so verändert, dass nicht das Ergebnis,
sondern nur der Weg dahin von Bedeutung ist. »Aber der
Weg ist oft wichtiger als die Ankunft – und schwieriger
zugleich«, lässt Kaiser Jean d'Aire sagen. Diesen Weg auf-
zuzeigen, ist die Aufgabe des Dichters, er allein besitzt
dieses Vermögen. Das Leben, davon ist Kaiser überzeugt,
wird der Kunst nachfolgen. Wohin der Weg führen soll,
steht ebenfalls fest: Auf seine eigene Frage: »Von welcher
Art ist die Vision?«, antwortet der Dichter: »Es gibt nur
eine: die von der Erneuerung des Menschen«.[7]

In den *Bürgern von Calais* kommt es zwar zur Erfüllung dieser Vision – »Ich habe den neuen Menschen gesehen – in dieser Nacht wurde er geboren«, ruft Eustache de
Saint-Pierres blinder Vater wie ein alttestamentlicher Pro-
phet aus –, doch viel mehr erfährt man über diesen neuen
Menschen nicht, da er ja zunächst einmal stirbt und das
Stück mit seiner Auferstehung endet. Da man diese Vision
auch als Selbstzerstörung auffassen kann, sprachen Inter-
preten daher gelegentlich von einem Pyrrhussieg.[8] Doch
kann man behaupten, dass Kaiser hier durchaus noch in
einer frühexpressionistischen Tradition steht, in der die
Überwindung des Alten, Zuständlichen wichtiger war als
die Formulierung von etwas Neuem. Die diffuse Charak-
terisierung des Neuen Menschen erscheint vor allem deshalb so erstaunlich, weil dieser in der Rezeption des Dramas die entscheidende Rolle spielte. Denn *Die Bürger von*

---

7 Georg Kaiser, »Vision und Figur« [1918], in: G. K., *Werke*, hrsg. von Wal-
    ther Huder, Bd. 4: *Filme, Romane, Erzählungen, Aufsätze, Gedichte*,
    Frankfurt a. M. / Berlin / Wien 1971, S. 547–549, hier S. 549.
8 Vgl. Rex W. Last, »Kaiser's *Bürger von Calais* and the Drama of Expres-
    sionism«, in: *Periods in German Literature*, Vol. II: *Texts and Contents*,
    hrsg. von J. M. Ritchie, London 1969, S. 247–264, hier S. 261.

Calais wurden gerade durch die Evokation des Neuen Menschen zum bedeutendsten Drama des Expressionismus, zu einem klassischen Beispiel des sog. Verkündigungsdramas. Auch theoretisch äußerte sich Kaiser nicht klarer; sein Aufsatz »Der kommende Mensch« (1922) bleibt ähnlich uneindeutig wie *Die Bürger von Calais* selbst. Kaisers ›Neuer Mensch‹, der bald zum Schlagwort des gesamten literarischen Expressionismus in seiner zweiten, späten Phase wurde, besitzt sowohl Merkmale von Nietzsches Übermensch aus dessen *Zarathustra* als auch eine christliche Dimension. Schließlich fällt der Begriff »Neuer Mensch« bereits im Neuen Testament.[9] Durch Kaisers Anlehnungen an die Sprache der Bibel (aus der er jedoch nie direkt,[10] sondern allenfalls versteckt zitiert, meist aber nur deren Ton verwendet) wird diese heilsgeschichtliche Tendenz verstärkt. Die nächtliche Geburt eines männlichen Kindes, das zunächst die sechs Calaiser Bürger erlöst, assoziiert die Geburt eines Heilands für die gesamte Menschheit. Trotz dieser pseudoreligiösen Überhöhung bleibt der Autor aber ein Gefangener seines historischen Stoffs. Die Geschichte widerlegt letztlich alle seine hochfliegenden Erwartungen: Das so schwerwiegend anmutende Ereignis von Calais bleibt eine winzige Randnote im Hundertjährigen Krieg, der danach tatsächlich noch über ein Jahrhundert fortdauern sollte.

In seinem Stück geht es Kaiser allerdings in erster Linie gar nicht um das Propagieren einer pazifistischen Einstellung. Diese Absicht ließe sich vor allem aus dem einleitenden Streitgespräch Saint-Pierres mit dem französischen

---

9 »Erneuert euch aber im Geist eures Gemüts und ziehet den neuen Menschen an, der nach Gott geschaffen ist in rechtschaffener Gerechtigkeit und Heiligkeit« (Eph. 4,23 f.).

10 Maria Wera Gruber (*Die Funktion der Bibelzitate in Georg Kaisers Drama »Die Bürger von Calais« im Kontext der wilhelminischen Rhetorik*, Edmonton 1986) weist zwar über achtzig so genannte Bibelzitate nach, doch so gut wie keines stimmt genau mit der vermeintlichen Vorlage überein.

Hauptmann Duguesclins ableiten, der von den Calaiser
Bürgern fordert, für ihre Stadt zu kämpfen. Eustache de
Saint-Pierre will weniger den Frieden herbeiführen als
vielmehr die Ideologie der Zerstörung überwinden. Es soll
das gerettet werden, was alle gemeinsam geschaffen haben
und mehr Wert hat als ihr Leben: der Hafen. Kaiser lässt
Saint-Pierre immer wieder den dafür eigentlich nicht recht
treffenden Begriff »Werk« verwenden, was zeigt, dass der
konkrete Hafen tatsächlich für Übergeordnetes steht. Das
Opfer für ihn scheint nicht zu hoch, es gibt Dinge, denen
das eigene Leben unterzuordnen ist. Dies korrespondiert
in erstaunlicher Weise mit späteren Aussagen Kaisers, der
sein schriftstellerisches »Werk« über die eigene Person, das
eigene Leben stellt. Er habe sogar mit dem Gedanken des
Selbstmords gespielt, wenn es dieses Werk, das er schaffen
müsse, nicht gebe.[11]

Eine solche Denkweise, die die Hingabe an angeblich
höhere Werte verlangt, ist nicht ungefährlich, wie nur
zwanzig Jahre später mit dem Nationalsozialismus deutlich wurde, der eine ganz ähnliche Einstellung forderte.
Die weist freilich in eine gegenüber Kaisers Auffassung
völlig entgegengesetzte Richtung. Das war auch den Na-
tionalsozialisten bewusst: So wurden die Bücher Kaisers
verbrannt, er selbst emigrierte 1938 in die Schweiz, wo er
am 4. Juni 1945, kurz nach Kriegsende, starb.

Geschrieben wurden *Die Bürger von Calais* bereits
1912/13, erstmals veröffentlicht 1914, doch bei der allge-
meinen Kriegsbegeisterung zu diesem Zeitpunkt blieb das
Buch vermutlich wegen seiner vermeintlich pazifistischen
Grundhaltung unbeachtet. Bemerkenswert ist ohnehin,
dass zu Beginn des Kriegs gegen den »Erzfeind« Frankreich ein Theaterstück publiziert wurde, in dem eine be-
merkenswerte Tat von Franzosen verherrlicht wird und

---

11 Vgl. u. a. Brief Georg Kaisers an Hugo F. Koenigsgarten vom Dezember
   1938, in: Georg Kaiser, *Briefe*, hrsg. von Gesa M. Valk, Frankfurt a. M. /
   Berlin / Wien 1980, S. 391.

ausgerechnet Frankreich als Heimat des »Neuen Menschen« erscheint. Erst mit der Uraufführung 1917, als der Krieg schon über zwei Jahre andauerte, kein Ende abzusehen war und die Menschen immer stärker unter ihm zu leiden hatten, fand es Beachtung. Nachdem Georg Kaiser jahrelang nahezu unter Ausschluss der Öffentlichkeit seine Dramen geschrieben hatte, von denen bis dahin nur drei ohne jegliche Resonanz veröffentlicht bzw. aufgeführt worden waren, gelang ihm mit den *Bürgern von Calais* ein sensationeller Durchbruch. Gustav Landauer (1870–1919) hatte 1916 in einem Aufsatz auf den damals noch völlig unbekannten Schriftsteller hingewiesen,[12] was die Neugier des Regisseurs Arthur Hellmer (1880–1961) weckte. Er inszenierte am 29. Januar 1917 am Neuen Theater in Frankfurt am Main die Uraufführung der *Bürger von Calais*. Wenngleich dies abseits der großen kulturellen Zentren Deutschlands geschah, zählte Kaiser nun mit einem Schlag zur ersten Reihe der expressionistischen Dichter, obwohl er von seinem Alter her – der am 25. November 1878 in Magdeburg geborene Autor war damals bereits fast vierzig Jahre alt – im Grunde nicht mehr zu der sich betont jugendlich gebenden Bewegung gehörte. Nun erschienen auch die anderen Dramen in rascher Folge im Druck oder auf der Bühne, so dass Kaiser innerhalb kürzester Zeit zu einem der bekanntesten und erfolgreichsten deutschen Schriftsteller avancierte – insgesamt 74 Dramen zählt die Werkausgabe. In den zwanziger Jahren war er neben Gerhart Hauptmann (1862–1946) der meist gespielte Autor auf den deutschen Bühnen. Der bisher entgegen der expressionistischen Tendenz zur Zirkelbildung einzelgängerisch lebende und arbeitende Kaiser suchte während dieser Zeit, in Berlin wohnend, auch Kontakt zu anderen Schriftstellern und Künstlern.

---

12 Gustav Landauer, »Ein Weg deutschen Geistes (Goethe, Stifter, Kaiser)«, in: *Frankfurter Zeitung*, 6. Februar 1916 (Erstes Morgenblatt); auch als Sonderdruck: München 1916.

Seine *Bürger von Calais* wurden besonders von expressionistischen Kollegen bejubelt. So sah Kasimir Edschmid (1890–1966) bereits bei der Uraufführung in Kaiser die »stärkste dramatische Begabung« der jüngeren Generation«[13] und hob in seiner Besprechung das dem Expressionismus so wichtige Merkmal »keine Psychologie« für das Stück hervor.[14] Das musste älteren Kritikern natürlich missfallen, Alfred Polgar (1873–1955) etwa sprach anlässlich der zweiten Aufführung in Wien von »Marter«,[15] selbst der Expressionist Max Herrmann-Neiße (1886–1941) erkennt bei der ersten Berliner Aufführung in den *Bürgern von Calais* nur ein »auf Knalleffekte gearbeitetes vaterländisches Festspiel« und in dem Autor einen »Bramarbas«.[16] Ähnlich negativ beurteilten das Stück Herbert Ihering (1888–1977), Siegfried Jacobsohn (1881–1926) und Monty Jacobs (1875–1945). Alfred Kerr (1867–1948) schließlich, der Kritiker, der auch von der jungen Generation hoch geachtet wurde, fand noch heftigere Ausdrücke der Ablehnung: »Hokuspokus«, »mystisches Brimborium« oder »Dramatik des zerkauten Federhalters«.[17] Das alles änderte jedoch nichts daran, dass Kaisers Stück in der Folge mit großem Zuspruch nicht nur häufig aufgeführt wurde, sondern sich auch als Buch gut verkaufte.

Den stärksten Eindruck hinterlässt zweifellos die exzessiv-dynamische Sprache, die neben der These vom Neuen Menschen maßgeblich dazu beigetragen hat, in Georg Kai-

---

13 Kasimir Edschmid, [Rez.], in: *Neue Zürcher Zeitung*, 4. Februar 1917, hier zit. nach: Günther Rühle (Hrsg.), *Theater für die Republik. 1917–1933. Im Spiegel der Kritik*, Frankfurt a. M. 1967, S. 54 f., hier S. 54.

14 Ebd.

15 Alfred Polgar, [Rez.], in: *Vossische Zeitung*, 15. Oktober 1917, hier zit. nach: Rühle (s. Anm. 13), S. 57.

16 Max Herrmann-Neiße, »Berliner Theater«, in: *Die Neue Schaubühne* 1, 1919, H. 11, S. 353–356, hier S. 355 f.

17 Alfred Kerr, »Volksbühne«, in: *Berliner Tageblatt*, 29. September 1919, hier zit. nach: A. K., *»So liegt der Fall«. Theaterkritiken 1919–1933 und im Exil*, hrsg. von Günther Rühle, Frankfurt a. M. 2001, S. 26–31, hier S. 29–31.

ser einen expressionistischen Schriftsteller zu sehen, denn
»das Sprechen seiner Menschen [...] ist nicht fertige, in ge-
läufigen und abgeschliffenen Abstraktionen und Wendun-
gen sich ergehende Alltags- oder Dichterrede, sondern es
ist im Entstehen, im Ringen und Suchen festgehaltene,
werdende Rede«.[18] Zum einen werden die Sätze durch den
Wegfall von Artikeln, Präpositionen und anderen entbehr-
lichen Satzteilen verdichtet, zum anderen wird der Sprach-
gestus pathetisch, der Idee angemessen. Dies unterstützen
ungewöhnliche Umstellungen im Satzbau, durch die We-
sentliches betont werden soll. Das auffallendste Stilmittel
ist das der rhetorischen Frage, mit ihrer Hilfe vor allem gelingt es Eustache de Saint-Pierre, die sechs anderen Bürger
von seiner Handlungsweise zu überzeugen. Die Verknap-
pung innerhalb der Sätze findet ein Gegengewicht in der
breiten, ausladenden Argumentation in den Dialogen
selbst, häufig kommt es hier zu Wiederholungen. Und
auch die geometrische, kühle Konstruktion des Dramas
bildet zur expressiven Sprache, die die typisch expressionistische Aufbruchsemphase der Handlung unterstützt, einen scheinbaren Widerspruch, der in einen opernhaften
Gesamteindruck mündet. Wie die ausufernde Setzung von
Satzzeichen, deren zahllose Gedankenstriche und Ausru-
fungszeichen den Text strukturieren, Wichtiges hervorhe-
ben und bereits deutliche Hinweise für die Art und Weise
der Inszenierung geben wollen, sollen die ausführlichen
Regieanweisungen, die in ihrer Bedeutung dem Sprechtext
gleichzusetzen sind, der Aufführungspraxis enge Grenzen
setzen.

Die *Bürger von Calais* haben ihre größte Wirkung in
Zeiten existentieller Not und Unsicherheit, vor allem während und nach dem Ersten Weltkrieg, aber auch wieder
nach dem Zweiten Weltkrieg gehabt, als weniger die Bühnen als vielmehr die Literaturwissenschaft sich dem Werk

---

18 Gustav Landauer, *Ein Weg deutschen Geistes*, München 1916, S. 33.

widmeten und schließlich *Die Bürger von Calais* als Schullektüre kanonisiert wurden. Dabei wurde das Drama als Zeitstück mit lehrhaftem Charakter rezipiert, obwohl es als solches nicht geschrieben worden war. Trotz des Schematismus der Handlung, trotz der entindividualisierten Anlage der Figuren, die als kaum voneinander unterschiedene Typen oder mehr noch als Personifikationen von Ideen erscheinen, vermag das Stück bis heute zu berühren – vielleicht deshalb, weil sich der Leser oder Zuschauer gerade wegen dieses unpersönlichen Stils und der nicht alltäglichen Sprache besser in die Situation hineinversetzen kann. Die fehlende Möglichkeit, sich mit einer oder mehreren Figuren zu identifizieren, führt zu einer stärkeren Konzentration auf die für Kaiser über allem stehende zentrale »Idee«. Diese scheint in den *Bürgern von Calais* ebenso durchdacht wie von Kaiser gefordert: »Das Drama schreiben ist: einen Gedanken zu Ende denken«,[19] sagt er, so dass das Stück auf den ersten Blick einen hermetischen Eindruck macht – als »Denkspiel«[20] wurde es schon von den Zeitgenossen Kaisers angesehen. Bei eingehenderer Beschäftigung bleiben allerdings viele Fragen offen, das Drama in seinen zentralen Aussagen ambivalent. Doch gerade weil letztlich nicht alles geklärt wird, übt das Stück einen so großen Reiz aus. Seine Realitätsferne spiegelt sich im merkwürdigen Leben Georg Kaisers wider, das seinen Tiefpunkt in einem Gefängnisaufenthalt erreichte, weil er fremdes Eigentum verkauft hatte.

---

19 Georg Kaiser, »Der Mensch im Tunnel« [1924], in: G. K., *Werke*, hrsg. von Walther Huder, Bd. 1: *Stücke 1895–1917*, Frankfurt a. M. / Berlin / Wien 1971, S. 579–581, hier S. 579.
20 Vgl. Bernhard Diebold, *Der Denkspieler Georg Kaiser*, Frankfurt a. M. 1924.

Inhalt

Die Bürger von Calais 5

Editorische Notiz 91
Anmerkungen 92
Literaturhinweise 94
Nachwort 97

Reclam – deutsche Literatur

Text- und Studienausgaben
vom Mittelalter bis heute

Textsammlungen

Reader zur Theorie

Lexika

Einführungen

Interpretationen

Literaturgeschichte

Reclam